D1538595

7/23

Nous remercions le ministère du Patrimoine canadien,
la SODEC et le Conseil des Arts du Canada
de l'aide accordée à notre programme de publication

  Patrimoine   Canadian
canadien   Heritage

ainsi que le Gouvernement du Québec
– Programme de crédit d'impôt
pour l'édition de livres
– Gestion SODEC.

Logo de la collection :
Sv Bell

Illustration de la couverture :
Catherine Trottier

Édition électronique :
Annick McLean

Dépôt légal : 3e trimestre 2001
Bibliothèque nationale du Canada
Bibliothèque nationale du Québec

123456789 AGMV 054321

QUAND LA
BÊTE S'ÉVEILLE

DU MÊME AUTEUR
AUX ÉDITIONS PIERRE TISSEYRE

Collection Chacal
La maudite, 1999.

Collection Conquêtes
L'Ankou ou l'ouvrier de la mort, 1996.
Terreur sur la Windigo, 1997 (finaliste au Prix du Gouverneur général 1998).
Ni vous sans moi, ni moi sans vous, 1999 (finaliste au prix M. Christie 2000).
Siegfried ou L'or maudit des dieux, 2000.

Aux Éditions Hurtubise/HMH (jeunesse)
Le fantôme du rocker, 1992.
Le cosmonaute oublié, 1993.
Anatole le vampire, 1996.

Aux Éditions Triptyque
Le métier d'écrivain au Québec (1840-1900), 1996.
Dictionnaire des pensées politiquement tordues, 1997.

Données de catalogage avant publication (Canada)

Mativat, Daniel, 1944-

    Quand la bête s'éveille

    (Collection Chacal ; 13)
    Pour les jeunes de 12 ans et plus.

    ISBN 2-89051-800-0

    I. Titre   II. Collection

PS8576.A828Q36 2001   jC843'.54   C2001-940364-X

PS9576.A828Q36 2001

PZ23.M37Qu 2001

QUAND LA BÊTE S'ÉVEILLE

Daniel Mativat

roman

ÉDITIONS
PIERRE TISSEYRE

5757, rue Cypihot, Saint-Laurent (Québec) H4S 1R3
Téléphone: (514) 334-2690 – Télécopieur: (514) 334-8395
Courriel: ed.tisseyre@erpi.com

1

Le phare du bout du monde

25 août 1911

Je sais qu'un jour il viendra. Je l'attends. Mon fusil est chargé. J'ai fondu moi-même les balles qui le tueront. Des balles d'argent sur lesquelles j'ai limé de petites croix. D'après ce que j'ai lu, c'est ce qu'il faut faire.

Je n'ai pas peur.

Il arrivera sur les glaces du fleuve ou il débarquera d'une goélette par une nuit sans lune. Comme un loup solitaire. Je le laisserai monter jusqu'ici et, quand il poussera la porte, je l'abattrai. Je lui tirerai en pleine poitrine ou je lui ferai éclater la cervelle. Ensuite, je jetterai son cadavre dans le vide et il ira s'écraser sur les rochers, en bas de la falaise. Les mouettes et les cormorans se disputeront ses restes avant que la mer ne nettoie le tout. Après, ce sera une affaire classée.

Personne n'en saura rien et, même si on retrouve son corps, avec un peu de chance, on pensera que c'est celui d'un naufragé et on l'enterrera sans trop s'interroger. À cet endroit du golfe, la côte est un vrai cimetière de bateaux.

C'est d'ailleurs la raison pour laquelle je suis là, perdu sur ce rocher balayé par les vagues.

Je suis le gardien du phare de l'Île-aux-Morts.

Je sais que vouloir assassiner son propre frère peut sembler monstrueux. Mais je n'ai pas le choix. Ce n'est pas moi le criminel. Le monstre, c'est lui. Et puis, si je ne le tue pas, lui me tuera. Je connais trop bien Raoul. Sa cruauté. Sa soif de sang. L'étincelle de folie qui s'allume dans son œil de fauve quand il est en pleine crise. Non, je n'ai vraiment pas le choix. Si je ne lui troue pas la peau le premier, il me sautera à la gorge et il me saignera, comme les autres, avant de s'attaquer à elle.

Annabelle appréhende, elle aussi, ce moment depuis plus d'un an. Depuis qu'elle est venue se réfugier sur mon rocher comme un oiseau blessé. Annabelle qu'il m'avait volée et que je lui ai reprise.

Le soleil est déjà bas. Juste six doigts au-dessus de l'horizon*. Dans une demi-heure environ, il va falloir que j'allume la lanterne du phare. Moment magique. Quand le feu blanc se met à tourner lentement et balaie l'océan de son faisceau lumineux d'un million de bougies**, je me sens un peu comme le maître du golfe, le berger des navires perdus au milieu de ce grand désert marin qui m'entoure.

Tout est prêt, comme chaque soir depuis cinq ans ! Les vingt réflecteurs du système catoptrique ont été soigneusement nettoyés à l'oxyde de fer et à l'huile douce. Je les ai astiqués un à un à la peau de chamois. Les poids du mécanisme d'horlogerie qui assurent la rotation sont remontés. Huit cent dix tours de manivelle exactement ! Les rideaux qui protègent les miroirs sont tirés.

Ce matin, juste après avoir éteint, j'ai taillé les mèches encore chaudes des lampes. Elles

---

* C'était la manière authentique de fixer l'heure d'allumage des phares.
** Ancienne unité d'intensité lumineuse (remplacée aujourd'hui par le candela).

ne devraient donc pas fumer. Les réservoirs d'huile de marsouin et de loup-marin sont pleins. Il n'y a plus qu'à mettre en route !

Tout à l'heure, je suis allé consulter le baromètre. Le mercure dégringole à vue d'œil. Selon moi, une tempête se prépare. La mer est pourtant étonnamment calme.

Trop calme.

Il y a dans l'air quelque chose d'anormal. Quelque chose d'oppressant. Tout à coup, la source de ce malaise m'apparaît comme une évidence : les oiseaux !

On ne les entend plus !

Fous de Bassan, cormorans, macareux, guillemots, sternes, pétrels, marmettes, d'habitude en cette saison, ils sont des dizaines de milliers à nicher au bord des falaises, et leur criaillage incessant produit une cacophonie assourdissante. Annabelle dit qu'ils la rendent folle.

Or, depuis midi, il n'y a pas un seul oiseau dans le ciel. Un silence étrange pèse sur l'île. On dirait que l'immense rocher attend, lui aussi, quelque événement surnaturel.

Il faut que j'aille voir Annabelle. Ce matin, je l'ai surprise sur le promontoire ouest. Elle scrutait l'horizon. Elle est rentrée tout ébouriffée et, le reste de la journée, elle m'a paru inquiète, presque fébrile. Je sais à quoi elle pense. Je me suis approché d'elle. Comme elle le fait toujours, elle a vivement rabattu un pan de son châle sur sa joue.

Je l'ai serrée dans mes bras.

— Tu as l'air fatiguée. Tu ferais mieux de t'étendre.

Elle a fait un mouvement, comme si elle voulait me confesser quelque chose. Mais elle a préféré s'isoler dans son mutisme.

Nous avons marché côte à côte, à travers la lande brûlée par le sel et le vent. Elle s'est appuyée un peu plus lourdement sur mon bras et a posé sa tête sur mon épaule.

— Tu as raison. Rentrons ! Je ne me sens pas très bien. J'ai comme un poids, là !

Elle a pris ma main qu'elle a placée au creux de ses deux seins. Geste qui m'a troublé, car, en même temps, sans s'en apercevoir, elle a laissé glisser légèrement la dentelle noire de son châle laissant entrevoir la blessure qui lui marque le bas du visage. Or, cette marque, Annabelle refuse toujours que je la voie en plein jour. On dirait une morsure faite par chien qui lui aurait déchiré une partie de la joue et labouré le cou. La plaie est refermée depuis longtemps. On distingue seulement un sillon rosé qui n'altère en rien sa beauté.

Annabelle n'aime pas revenir sur ce qui s'est passé. Elle dit qu'elle veut oublier et qu'elle n'a gardé de cette sauvage agression qu'un souvenir confus où la réalité se confond avec le cauchemar.

Elle ment. Elle a peur. Elle est toujours hantée par le terrible secret qu'elle a surpris, et cette cicatrice est là pour lui rappeler le danger qui la menace.

Lorsqu'elle est venue se cacher ici, elle avait honte. Elle se croyait défigurée. Elle m'a demandé de briser tous les miroirs de la maison. Plus tard, quand nous avons commencé à vivre ensemble, avant qu'elle ne se déshabille et ne me rejoigne sous les draps, il fallait que je souffle la lampe. Pourtant, moi, je ne la vois plus sa chair meurtrie. Au contraire, j'aime cette blessure. Elle fait partie de notre histoire. C'est elle qui l'a poussée à revenir vers moi.

Parfois, j'aurais même envie de la caresser et d'y poser les lèvres.

Un jour, je le ferai.

Avant de quitter la lanterne, il faut que je vérifie si je n'ai rien oublié. Avec cent vingt marches d'escalier à monter et à descendre chaque fois, il vaut mieux être méticuleux ou, à défaut, avoir les jambes solides.

Tout a l'air en ordre. J'ai ouvert les rideaux. Les vitres des baies vitrées sont nettes. Aucune trace de suie ou d'éraflures sur les surfaces réfléchissantes. Le verre des lampes et les réflecteurs sont bien propres.

Parfait.

D'après le baromètre, la pression a encore chuté. Inquiétant. Très inquiétant même.

Il ne me reste plus qu'à allumer une à une les lampes d'Argand et à mettre le mécanisme en marche.

Ça y est. La lourde machine a commencé sa lente giration dans un formidable éclaboussement de lumière.

C'est drôle... Chaque fois, je ressens la même impression. Une sorte d'euphorie et de sentiment d'apaisement, comme si la puissance majestueuse du phare avait non seulement le pouvoir de guider les navires en détresse, mais également celui de repousser les ténèbres du monde en délimitant un vaste cercle protecteur contre les forces du mal.

En descendant l'escalier en spirale, je n'ai pu m'empêcher d'écouter l'écho sonore de mes pas qui résonnait de manière dramatique, me donnant l'impression absurde que chaque marche me rapprochait de mon destin. À mi-hauteur de la tour, pris d'une soudaine panique, j'ai dû m'arrêter et, adossé au mur humide, j'ai cru entendre un bruit sourd.

Quelqu'un montait ! J'ai pensé : « Ça y est, il est là, en bas ! »

Je me suis penché au-dessus de la rambarde de fer forgé et j'ai fouillé du regard le puits noir qui s'ouvrait sous moi.

Il n'y avait personne. J'ai compris alors que c'était mon propre cœur qui battait la chamade.

En ressortant, j'ai été surpris par l'épais brouillard qui, soudainement, a noyé l'ensemble de l'île.

Je sais qu'Annabelle doit m'attendre. Seulement, je ne dois pas oublier mes devoirs de gardien.

Bon Dieu ! Pourvu qu'aucun bateau n'ait doublé le cap North et ne se soit engagé sur les hauts-fonds, à l'est de l'île. Non, s'il y avait un bateau de pêche ou un steamer dans les parages, j'aurais entendu sa cloche ou sa corne de brume.

Néanmoins, je n'ai pas une minute à perdre.

En dépit de l'épaisse couche de brume ouatée rendue opalescente par la lumière du phare qui s'y disperse, je suis parvenu à me rendre jusqu'au hangar abritant le canon à brume. Cette vieille pétoire ne m'inspire pas trop confiance, car elle a déjà sauté au visage de mon prédécesseur.

Heureusement, il me reste les cartouches de fulmi-coton*. J'en ai sorti une et j'ai allumé la mèche. L'explosion a ébranlé toute la pointe sur laquelle est construite la station. Je tirerai un autre coup dans un quart d'heure. À moins que le brouillard n'épaississe encore. Une fois, j'ai dû canonner aux cinq minutes pendant une journée entière. De quoi devenir à moitié sourd !

Le travail achevé, je suis retourné auprès d'Annabelle.

Jamais vu un brouillard pareil. On n'y voit pas à trois pieds. J'ai eu de la difficulté à

---

* Dans la plupart des phares de l'époque, l'antique canon à brume avait déjà été remplacé par des signaux sonores plus efficaces, tels le diaphone ou la sirène d'Écosse.

retrouver l'allée de petits galets qui mène aux bâtiments de la Maison de la Trinité*.

Quand je suis entré, il faisait noir comme chez le loup. J'ai allumé la lampe à pétrole et j'ai appelé doucement :

— Annabelle ?

Dans l'ombre, juste en dehors du cercle de lumière, une voix étouffée m'a répondu :

— Je suis là...

Je me suis approché d'elle, la lampe à la main. Recroquevillée sur le récamier près de la fenêtre, prostrée, le regard vide, elle semblait en proie à une de ses crises d'angoisse coutumières. Tout à coup, elle s'est mise à trembler et ses yeux ont perdu leur expression hagarde pour devenir d'une extrême mobilité, trahissant son indicible effroi. Je connais bien cette expression. Elle me rappelle celle des bêtes traquées que je chassais autrefois avec mon frère. Ces bêtes innocentes, à la prunelle dilatée de peur, qui vous fixent droit dans les yeux comme si elles imploraient votre pitié, tout en sachant très bien que vous allez les tuer.

---

* La plupart des anciennes constructions de phares furent faites sous l'administration d'un organisme appelé la Maison de la Trinité de Québec, qui eut pleine juridiction sur toutes les questions de navigation entre 1805 et 1869. De 1870 à 1935, le ministère de la Marine et des Pêcheries assuma cette responsabilité qui, aujourd'hui, incombe à Transports Canada et à la Garde côtière canadienne.

Je me suis agenouillé à ses pieds. Elle a cherché mes doigts et y a glissé les siens.

Je lui ai chuchoté à l'oreille :

— Ne t'inquiète pas. Je suis là...

Elle a esquissé un sourire crispé.

— J'ai peur, Vincent. J'ai un mauvais pressentiment.

Pour la rassurer, je suis allé décrocher mon fusil au-dessus de la cheminée.

J'ai ouvert la culasse et glissé dans le canon une des balles d'argent que j'ai moulées hier à partir du métal d'une médaille de la Sainte Vierge. J'ai refermé l'arme d'un coup sec.

Je suis prêt.

Elle a levé les yeux vers moi.

— Tu sais...

— Oui, je sais.

Elle n'a rien ajouté. C'était inutile. Elle a compris ce que je voulais dire et j'ai lu dans son regard qu'elle m'approuvait et qu'elle pensait exactement la même chose que moi.

— Oui, il viendra. Il est même peut-être en route.

Nous savons tous les deux que ce moment se présentera et qu'il faudra bien un jour lui faire payer ses crimes. Je n'ai pas cessé d'y penser depuis des années.

Elle aussi, j'en suis sûr.

Ce sera peut-être cette nuit ou demain, ou dans plusieurs mois. Je ne sais pas. Mais l'échéance arrive. C'est pour cette raison que j'ai décidé de tout consigner dans le journal de bord du phare.

Si c'est lui qui meurt, on saura pourquoi je l'ai tué. Si c'est moi qui succombe... alors, malheur à vous ! Malheur ! Vous serez peut-être sa prochaine victime !

2

Souvenirs d'enfance

D'aussi loin que ma mémoire me permette de remonter, mon frère et moi, nous nous sommes haïs. Haïs et aimés. Car, dans les ténèbres des âmes tourmentées, ces deux sentiments se confondent et se conjuguent souvent pour exécuter un pathétique ballet de mort.

La violence et la haine ont d'ailleurs été les seuls liens qui ont toujours uni notre famille. Cette sauvagerie instinctive est inscrite dans nos gènes et empoisonne notre sang maudit depuis des générations et des générations.

Dans les siècles passés, elle a fait notre gloire en fournissant au pays d'illustres capitaines dont les portraits ornent encore

 19

les couloirs de notre château. Mais elle a aussi fourni son lot d'assassins et de déments, morts au bout d'une corde ou condamnés à hurler à la lune dans quelque asile de fous.

Mon père s'appelait Hubert de Mallemort, septième comte de Saint-Loup, seigneur de Montdragon et autres lieux. À cette époque, nous habitions Castelbouc, qui avait été jadis le nid d'aigle redouté des Mallemort, position stratégique entre l'Auvergne et le Languedoc. Depuis la Révolution, qui avait abattu ses murailles et décapité son donjon, ce n'était plus guère qu'une ruine sinistre sans cesse rapiécée comme une guenille trop usée.

Nous étions pauvres, plus pauvres que la plupart des fermiers et des bergers installés sur nos anciennes terres. Cela n'empêchait pas mon père de les traiter avec une morgue toute féodale, sinon une brutalité de négrier, n'hésitant pas à cravacher et à injurier ceux qui encombraient la route avec leurs troupeaux de moutons ou qui voulaient l'empêcher de chasser à travers leurs champs.

Car mon père était un chasseur enragé, comme son ancêtre qui, dit-on, avait été grand louvetier et capitaine des chasses royales. Quand je parle de mon père, il y a toujours les mêmes images qui me remontent à la mémoire.

Je suis encore un tout jeune enfant. Maman est enceinte de mon frère, Raoul. Mon père, le dimanche après-midi, nous impose invariablement le même rituel. Il nous montre les trophées et les tableaux qui ornent les couloirs du manoir. Au fond de la grande galerie, je me souviens, tout particulièrement, de l'étrange portrait d'un certain Petrus Gonsalvus, un lointain parent au visage entièrement couvert de poils et que mon père se plaît à appeler le «loup-garou* de la famille». Ce tableau me fait très peur, mais mon père me force à le regarder en se moquant de moi.

— Voyons, gros ballot, tu as la frousse? Approche! C'est juste une maladie qu'il avait, l'oncle Petrus.

On dirait que Hubert de Mallemort se délecte de ma frayeur. Plus je rechigne à le suivre, plus il prend plaisir à étirer mon supplice.

Il me traîne ensuite dans la galerie nord de Castelbouc où les lambris sont hérissés de

---

* La lycanthropie (transformation en loup-garou) a été souvent associée à une maladie congénitale, l'hypertrichose, caractérisée par un développement excessif du système pileux.

bois de cerfs et tapissés de peaux de bêtes fauves.

Parfois, il s'arrête et me montre une des dépouilles accrochées.

— Ce dix cors* était courageux. Il m'a éventré deux chiens avant de mourir et je l'ai égorgé au couteau comme on faisait autrefois... Tiens, regarde cette hure** de sanglier ! Tu as vu les boutoirs de ce monstre ! Eh bien, c'est lui qui m'a fait ça !

Et, tout en parlant, il relève fièrement sa chemise et abaisse son pantalon pour me montrer la large cicatrice qui lui balafre le haut de la cuisse.

Et il rit.

Moi, j'ai une véritable aversion pour cette impressionnante collection de crânes et de têtes poilues, avec leurs crocs sortis et leurs yeux de verre qui me regardent.

Je me cache derrière maman. Je cherche sa main.

Mon père se gausse de moi :

— Ne me dis pas que tu as peur ! Allons, elles ne te mordront pas. Tiens ! Touche-les !

Moi, je recule, épouvanté, et, quand il me prend dans ses bras pour me faire

---

* Andouillers, ramifications des bois du cerf.
** Tête de sanglier.

admirer de plus près toutes ces macabres reliques, je me débats en criant comme un fou.

C'est de cette époque, je pense, que date ma répulsion sans bornes pour la chasse et le sang versé inutilement. C'est de là aussi que me vient le dégoût que m'a toujours inspiré mon frère avant même sa naissance.

Tout est parti, en effet, d'un de ces pèlerinages à travers les innombrables salles du château. Je revois la scène. Ma mère est sur le point d'accoucher. Elle nous a accompagnés une fois de plus. Non pas qu'elle apprécie ce genre de promenade. Elle se plie à cette corvée dominicale simplement parce qu'elle me sait terrifié et tient à être présente pour m'aider à supporter l'épreuve.

Ma mère est bonne.

Cette fois, mon père nous a entraînés dans une partie inconnue du château, sous les combles. Ma mère, alourdie par sa grossesse, peine derrière nous, accrochée à la rampe de l'escalier branlant. Tout excité, mon père me tire par le bras avec une telle vigueur que j'en grimace de douleur.

— Tu vas voir, j'ai une surprise pour toi. Tu es assez grand pour la voir !

Dans un grenier qui sent le vieux cuir et les excréments de chauves-souris, il tire de sa poche une grande clé qu'il introduit dans la serrure rouillée d'une sorte de cagibi. Plongée dans l'obscurité, la pièce est tissée de toiles d'araignées qu'il déchire d'un geste agacé. Il s'empare d'un vieux chandelier et allume les bougies à demi fondues qui le garnissent. Je fais une ultime tentative pour m'enfuir. D'une bourrade, mon bourreau me force à entrer.

À la lueur vacillante de la flamme, je découvre alors une chose monstrueuse. Une abomination comme seul peut en rêver un enfant dans le cauchemar qui lui fera perdre à jamais le sommeil.

Sa vue me glace le sang. C'est un énorme animal empaillé. Une sorte de loup gigantesque, de la taille d'un jeune taureau. Il doit bien avoir trois mètres de long, du museau à la queue. À vrai dire, cela ressemble à un loup, mais ce n'est pas un loup. C'est plutôt une créature hybride, résultat d'un accouplement contre nature : pattu comme un ours, le poitrail large, les oreilles courtes, le pelage roux avec une bande de poils noirs le long de la colonne vertébrale. De plus, cette sinistre dépouille est immobilisée dans une curieuse position ramassée. Comme si elle s'apprêtait à bondir...

Je suis littéralement fasciné. Je ne peux détacher mes yeux de cette gueule ouverte et de ces deux yeux rouges qui flamboient avec un tel éclat dans la pénombre qu'on dirait que le monstre est encore vivant.

— Sais-tu ce que c'est ? s'exclame mon père triomphalement en continuant de me retenir de sa poigne de fer. C'est la BÊTE ! La Bête du Gévaudan* qu'un de tes ancêtres a tuée, en juin 1767, dans les monts de la Margeride. C'est du moins ce qu'on dit dans la famille ! Un animal magnifique, tu ne trouves pas ? Regarde cette mâchoire : il paraît qu'elle a dévoré près de cent personnes et en a blessé plus de soixante-dix autres.

Moi, évidemment, je n'écoute rien. Blanc de terreur, je hurle :

— Maman ! Maman !

Mais la brute ne me lâche pas. Au contraire, il éprouve un plaisir sadique à me pousser vers le monstre.

— Et sais-tu ce qu'elle préférait la Bête ? Les petits garçons à qui elle arrachait la tête et les bergères dont elle mangeait les tétons ! Ha ! Ha ! Ha !

Il est si ravi de son mauvais tour qu'il étouffe presque de rire.

---

* Voir, à la fin, la note consacrée à la Bête du Gévaudan.

C'est à ce moment que ma mère, ayant entendu mes appels à l'aide, arrive hors d'haleine.

Mon père me libère enfin, et je cours me cacher le visage dans ses jupes. Ma mère me caresse les cheveux. Je l'entends dire sur un ton de reproche :

— Pourquoi vous amusez-vous à faire peur à cet enfant ?

Blotti contre son ventre chaud, je la sens se raidir. Ses mains se crispent sur mes épaules.

— Mon Dieu ! s'exclame-t-elle. Quelle est cette chose ignoble ?

J'entends encore son cri désespéré et je vois la pâleur mortelle qui envahit son beau visage. C'est comme si, soudainement, elle avait la révélation de quelque secret innommable, lui révélant la vraie nature de mon père.

Saisie d'un grand frisson, elle s'effondre sur le sol.

Trois jours plus tard, elle accouche de mon frère dans d'atroces souffrances.

Mon père, lui, est parti à la chasse. C'est moi qui assiste à cette boucherie sanglante aux côtés de notre bonne, Sidonie, qui n'arrête pas de répéter en se signant sans arrêt :

— Jésus, Marie, Joseph ! Protégez-nous ! Mon Dieu, ça ne se peut pas ! Cet enfant n'est pas humain. Il est trop gros... Et tout ce sang ! On dirait qu'il a déchiré votre mère de l'intérieur... Et tous ces poils ! Il ressemble à... à un animal !

Maman pousse un cri déchirant. Elle se cambre et, dans un ultime effort, elle expulse cette chose immonde qui la ronge. Du sang jaillit et inonde tout le bas de sa chemise retroussée. Elle se fige, tétanisée, puis retombe.

Morte.

Quand mon père revient, ses manches encore rouges du chevreuil qu'il vient de dépecer, il ne prête pas la moindre attention au pauvre corps écartelé de ma mère qui est restée là, telle que la mort l'a saisie, bouche ouverte et poings serrés. Il va d'abord au chenil soigner un de ses chiens qu'un renard a mordu. Lorsqu'il rentre au château, il se dirige droit vers le couffin où se tord une boule de chair violacée : mon nouveau petit frère.

Il prend le petit être répugnant, l'élève au bout de ses bras, tâte ses solides attaches, caresse le duvet noir qui lui orne l'échine et proclame :

— Toi, tu es un vrai Mallemort !

Raoul ne déçut pas mon père. Il n'était encore qu'un bébé vagissant qu'il se montrait déjà d'une impatience hargneuse de petite bête vorace. Il mordait le sein de sa nourrice. Il déchiquetait les jouets de chiffon que Sidonie mettait dans son berceau et, à la moindre contrariété, il piquait de telles colères qu'il en tombait évanoui, le visage cyanosé, le souffle coupé.

Mon père aimait cette agressivité. Il l'encourageait même, comme il le faisait avec ses chiens de chasse qu'il excitait sans cesse pour les rendre plus hargneux. Il adorait, par exemple, faire languir Raoul en lui tendant une friandise et en la lui retirant aussitôt pour le forcer à se dresser sur ses petites pattes et à s'accrocher à son pantalon. Raoul devenait alors complètement enragé. À chaque saut infructueux pour attraper la sucrerie, il se roulait à terre avant de bondir de nouveau avec, dans l'œil, cette expression terrible du froid désir de tuer que j'avais déjà vue dans le regard de mon père.

À douze ans, avec sa tignasse rousse et ses larges épaules, Raoul me dépassait déjà d'une tête. Souple et fort, il me surpassait en tout. À la course, à la nage, à la lutte. Qu'il s'agisse de fracasser les vitres du château au lance-pierres ou d'escalader les arbres centenaires du parc.

J'étais son unique compagnon de jeu ou plutôt son jouet préféré, car aucun des petits paysans du coin n'osait se mêler à nous. Ils nous craignaient et nous haïssaient trop. Comme tous ceux de notre race. Comme leurs pères avaient haï le nôtre. C'était atavique.

Quand nous croisions leurs bandes de va-nu-pieds échevelés et crasseux, ils se taisaient et nous observaient d'un air sournois. L'un d'eux, parfois, se mouchait entre ses doigts ou crachait avec ostentation dans notre direction. Nous lisions la peur sur leur visage, mais nous savions aussi qu'ils n'attendaient qu'une occasion pour faire pleuvoir sur nous une grêle de cailloux et nous battre à mort à coups de galoche cloutée.

— Si tu ne veux pas qu'ils te mordent, mords-les ! me soufflait Raoul. C'est rien que de la canaille.

En joignant le geste à la parole, quand ils nous avaient dépassés, il leur jetait des crottes de chèvres ou courait derrière eux en les insultant Manœuvre qui entraînait la fuite éperdue des gamins.

J'ai détesté Raoul pendant toutes ces années. Je l'ai détesté et envié à la fois. Pour lui, tout était si facile. Sa vie se résumait à une sorte de logique primaire et animale : faire ce qu'on a envie de faire, être prêt à se battre pour cela et même à tuer s'il le fallait. C'est de là qu'il tirait sa force. Cette volonté de domination le rendait fascinant. Elle lui conférait une espèce de pouvoir de séduction et de beauté farouche dont j'étais la victime, comme tout le monde.

Bref, Raoul était une bête magnifique. Un grand fauve. Et moi ? Moi, j'étais le charognard qui s'attachait à ses pas pour manger ses restes et profiter de sa dangereuse protection.

Il fallait nous voir, par exemple, *chasser* les filles sur le chemin de l'école ! Nous formions une équipe redoutable. Raoul en repérait deux qui habitaient assez loin du bourg. La plus délurée, il se la réservait. La plus timide était pour moi.

Nous les traquions pendant des heures, nous cachant derrière les arbres dès qu'elles se retournaient. Silencieux, insensiblement, nous nous rapprochions d'elles, nous arrangeant pour qu'elles nous aperçoivent avant de disparaître de nouveau, le temps qu'elles en concluent que nous avions abandonné la poursuite. Rassurées, les deux malheureuses se remettaient à rire et à trottiner, main dans la main. Alors, tout à coup, nous surgissions à l'improviste et Raoul, un sourire démoniaque sur les lèvres, se mettait à tourner autour d'elles en cercles concentriques. Les petites, affolées, restaient paralysées au milieu du chemin, le regardant resserrer son cercle, toujours plus près.

Moi, je restais à l'écart, faisant semblant de vouloir faire cesser ce manège.

— Voyons, Raoul ! Arrête ! Laisse-les ! Tu vois bien que tu les terrorises.

Raoul n'entendait rien.

— Ne leur fais pas de mal ! ajoutais-je hypocritement, sachant fort bien que ces mots ne feraient qu'accroître la frayeur de nos deux victimes.

La suite était prévisible.

Brusquement, Raoul se jetait sur la proie choisie qui, mi-terrifiée, mi-excitée, se défendait à grands coups de cartable. Il essayait de l'embrasser. Elle se débattait. Il lui chiffonnait sa robe. Elle s'enfuyait dans les fourrés où il la suivait en poussant des grognements. Quand ils en sortaient, la fille avait les pommettes rouges. Parfois, elle pleurnichait.

Pendant ce temps, moi, je restais avec l'autre, feignant de vouloir la protéger.

Celle-ci, apeurée, finissait invariablement par se blottir dans mes bras et se laissait caresser sans même protester.

Quand le jeu ne l'amusait plus, Raoul les libérait sans oublier de leur lancer quelques obscénités qui les faisaient détaler encore plus vite.

J'étais mort de honte. Lui me clignait de l'œil en reboutonnant sa braguette.

C'est à peu près à cette époque que l'état de santé de notre père commença à se détériorer. Il avait toujours été dur et distant. Après la mort de notre mère, il devint d'une violence extrême, qui s'exerçait le plus souvent sur Raoul. Au moindre prétexte, il le fouettait jusqu'au sang.

À dire vrai, Hubert de Mallemort n'était plus que l'ombre de lui-même. Il avait laissé pousser sa barbe et ses cheveux. Ses sourcils étaient devenus touffus et ses oreilles, repoussées en arrière du crâne, semblaient avoir allongé et être devenues étonnamment mobiles. Il avait maigri. Ses mains décharnées étaient devenues effilées, presque griffues. Mais le plus frappant, c'étaient ses yeux. Toujours secs, ceux-ci avaient pris un étrange éclat fiévreux et une couleur d'or fondu. De plus, ses paupières restaient toujours à demi fermées, ce qui lui donnait un regard oblique à la fois cruel et inquiétant. J'avais remarqué aussi que ses pupilles étaient anormalement dilatées.

Je crois qu'il se droguait.

La plupart du temps, il vivait dans le noir, les volets clos. Il paraissait fuir la lumière. Il ne dormait pratiquement pas et passait la nuit à marcher de long en large dans sa bibliothèque, feuilletant d'antiques volumes dont les pages étaient tavelées comme des peaux de vieillards.

Il ne décolérait pas et, certains soirs, ses hurlements n'avaient presque plus rien d'humain. Il pestait sans arrêt contre Sidonie, notre bonne, à qui il réclamait sans cesse à boire. Je pensais qu'il s'enivrait. Il n'en était rien. Sidonie m'apprit plus tard qu'il n'arrivait pas à se désaltérer. Dès qu'il avalait une gorgée de liquide, il éprouvait de douloureuses contractions de la gorge et fracassait de rage le flacon de vin qu'on venait de lui apporter.

De quel mal Hubert de Mallemort était-il affligé ?

Je l'ignore.

Appelé au château, un médecin examina ses urines. Elles étaient rougeâtres. Il fit déshabiller mon père. Son corps était couvert de poils noirs et drus et sa peau toute décolorée. Un peu partout, il avait des lésions et des ulcérations cutanées. Le docteur lui projeta un faisceau de lumière dans l'œil. Il voulut lui sauter à la gorge. Mon frère et moi, nous dûmes nous mettre à deux pour le retenir sur son fauteuil pendant que le bonhomme refermait sa sacoche de cuir.

— Je ne sais pas trop ! conclut le savant personnage. Psychose schizophrénique due à une intoxication aiguë. Ou bien votre père a été mordu par un animal enragé : un chien, un renard. On a signalé plusieurs cas du genre dans la région. Néanmoins, à la lumière des autres symptômes : coloration des urines, dents rouges, douleurs abdominales aiguës, photosensibilité extrême, pilosité abondante, déformation des cartilages et des os du nez, des oreilles et des lèvres, hyperactivité, déshydratation rapide, j'opterais pour la porphyrie*. Il n'y a rien à faire. S'il devient dangereux, il faudra le faire enfermer à l'asile de Clermont-Ferrand. Prévenez-moi en cas d'urgence.

---

* Porphyrie : maladie héréditaire due à un métabolisme défectueux. Caractérisée par des urines rouges, elle est accompagnée de troubles psychiques graves. Les rois George III d'Angleterre et Frédéric II de Prusse en furent atteints.

De ce jour, au physique comme au mental, l'état de Hubert de Mallemort ne fit qu'empirer. Il était devenu hideux et souffrait de graves hallucinations. Sidonie, notre servante, une brave grosse paysanne à la poitrine opulente, était la seule qu'il tolérait auprès de lui.

Un jour, je la vis descendre en pleurs de la bibliothèque où mon père dormait sur un canapé. Elle avait le corsage ouvert et les jupes fripées. Elle avait de la misère à se tenir debout et son épaule découverte saignait comme si on l'avait griffée.

Je l'interrogeai sur ce qui s'était passé. Elle secoua la tête, refusant de répondre, et se contentant de répéter :

— C'est une bête !

Le lendemain, on retrouva Sidonie pendue dans sa chambre.

Les gendarmes vinrent poser des questions. Ils prirent des notes dans leurs calepins et nous saluèrent militairement après avoir vidé cul sec le verre de cognac que nous leur avions offert.

L'affaire en resta là.

J'avais seize ans.

Père mourut un mois plus tard, dans des circonstances qui ne sont toujours pas éclaircies.

Depuis des semaines, toute la région – du Puy à Mende, des solitudes désolées des Causses aux riches pâtures du Cantal – était en émoi. Des moutons avaient été tués, saignés à mort et des fermiers avaient découvert plusieurs vaches à moitié dévorées. On avait d'abord cru que ces crimes étaient le fait de romanichels qui campaient au bord du Tarn. Puis les soupçons se portèrent sur une crapule de boucher qui avait déjà été arrêté pour avoir abattu des veaux dans leur pré et les avoir débités en laissant sur place les carcasses, de manière à faire croire que les bestiaux avaient été attaqués par des loups ou des chiens errants. On avait également soupçonné un cirque de passage et, en particulier, une superbe panthère noire qui s'en serait échappée. Les gens du voyage eurent beau soutenir que l'animal était mort d'un coup de chaleur, on ne les avait pas crus.

Les vieilles peurs se réveillaient. La semaine suivante, on rapporta que le tueur mystérieux avait égorgé un enfant sur les pentes du mont Aigoual. La rumeur répandit ensuite la nouvelle que, dans le lac Pareloup, on avait repêché un corps de femme qui portait des traces de morsures suspectes.

Il n'en fallut pas plus pour créer une véritable psychose. La bête inconnue devint LA BÊTE et les témoignages se multiplièrent. On avait aperçu le monstre à l'orée d'un bois. C'était un homme poilu, aux yeux rouge feu, qui courait à quatre pattes à une vitesse fulgurante. Un garde-chasse du château de Caylus lui avait tiré dessus, mais la balle n'avait fait que ricocher sur son épaisse fourrure. Les journaux en rajoutaient : cette créature du diable ne rappelait-elle pas le loup monstrueux qui, deux siècles plus tôt, avait semé la terreur dans cette même province et assassiné tant de pauvre monde ? À tel point que le roi de France, Louis XV, avait dû envoyer à la rescousse ses dragons et son lieutenant des chasses. Qu'attendaient donc les pouvoirs publics pour envoyer l'armée et organiser une grande battue* ?

À Castelbouc, mon frère et moi suivions évidemment toute cette affaire sans penser un seul instant que nous puissions y être mêlés.

Bien sûr, nous avions remarqué que notre père avait pris l'habitude de faire des

---

* Note de l'éditeur : Signalons qu'en France les derniers loups furent exterminés vers 1940 et qu'en 1918 on rapporta pour la dernière fois une attaque de *mangeur d'homme*.

escapades nocturnes. Mais pourquoi nous serions-nous inquiétés outre mesure? Il allait chasser, disait-il. Et, de toute manière, qui aurait pu arrêter Hubert de Mallemort quand il avait ses guêtres, sa carnassière en bandoulière et son fusil à l'épaule?

Comment pourrais-je oublier cet hiver-là et ce soir de janvier où père mourut? Cent fois, j'ai revécu ces heures tragiques comme le film d'un mauvais rêve qui revient vous hanter sans fin.

Il fait un froid de loup. Je viens de bassiner le lit et de charger le poêle jusqu'à la gueule. Nous sommes déjà couchés, pelotonnés sous nos édredons.

Un de nos métayers arrive en trombe au château.

— Venez vite! Il est arrivé quelque chose à Monsieur le comte!

Je secoue Raoul, qui grogne en s'étirant.

— Que se passe-t-il?

Le temps d'enfiler un manteau par-dessus nos pyjamas et, quelques minutes plus tard, nous sommes sur les lieux.

Je n'oublierai jamais la scène. La bergerie de pierres sèches. L'odeur du sang. Le bêlement d'un agneau perdu. Des cadavres de moutons partout. Certains, éventrés.

D'autres, la gorge ouverte et, au milieu d'eux, éclairé par la lumière tremblotante d'un fanal, le grand corps écartelé de notre père, un laguiole* planté dans le cœur et une blessure sanglante en forme de croix lui lacérant le front.

Je ne comprends pas ce qui se passe. C'est Raoul qui voit le premier le meurtrier, menottes aux poignets, entre deux policiers.

C'est un berger. Il est plus jeune que nous. Il tremble sans arrêt et roule des yeux fous. Lui non plus ne semble pas trop saisir ce qui lui arrive. Il se jette sur tous les spectateurs du drame.

— C'est moi qui l'ai tuée ! J'ai tué la Male Bête** ! Ce n'est pas un homme ! Ouvrez-le, vous verrez : il a le poil en dedans*** !

Quand il nous aperçoit, il ouvre la bouche, comme surpris, et, pendant que les gendarmes l'entraînent, il se retourne et entonne en patois une antique incantation que l'écho des montagnes répète comme pour nous avertir :

---

* Couteau de paysan fabriqué à Laguiole (Aveyron).
** La bête mauvaise, le démon.
*** Voir p. 196.

Que saint Georges vous prenne par la gorge!
Que saint Jean vous casse les dents!
Que sainte Agathe vous lie les pattes!
Que saint Grégoire vous brise la mâchoire!
Que sainte Gésippe vous arrache les tripes!
Et que saint Loup vous torde le cou!

Le cou, c'est lui qui l'aura tranché par le couperet de la guillotine, devant la porte de la prison de Clermont, le 7 janvier 1898.

Ce jour-là, il neigeait. À l'aube, tous les chiens de notre père, l'écume à la bouche, se sont mis à hurler en chœur dans le chenil.

Le lendemain, un vétérinaire, accompagné d'un officier de gendarmerie, est venu les abattre jusqu'au dernier. Il paraît qu'ils avaient la rage.

3

Jeux interdits

Les deux années qui suivirent, j'ai beaucoup de difficulté à les faire émerger à la surface de ma mémoire. Années d'angoisse et de vagabondages, car Hubert de Mallemort, comte de Saint-Loup, ne nous avait laissé en héritage que des dettes et que la haine de toute une population.

Pour les paysans du coin, en effet, nous étions que deux louveteaux malfaisants qu'il fallait au plus vite extirper de leur tanière, mettre au fond d'un sac bien lesté et jeter au fond de la rivière. Tant et si bien qu'à force de nous accuser de tous les maux de la terre, ils nous poussèrent à devenir ce qu'ils pensaient que nous étions : deux sauvages toujours prêts à mordre.

Voleurs à la tire, chapardeurs de poulaillers, braconniers, colporteurs, nous exerçâmes tous les métiers de la misère. Moi, je pillais surtout les jardins et les cordes à linge, ou bien, profitant de la foule des jours de foire, je dérobais aux bourgeois leurs montres de gousset. Raoul, lui, chassait l'écureuil et le lapin de garenne. Il était devenu un si fin fusil qu'il arrivait à leur loger une balle dans l'œil pour ne pas abîmer les peaux que nous refourguions à un vieux Juif parcourant le pays sur une moto pétaradante, transformée en camionnette à trois roues.

Le vieil homme nous aimait bien. Il reconnaissait en nous la marque indélébile des parias à laquelle il appartenait lui-même. Le bonhomme, en effet, traînait derrière lui une réputation sulfureuse presque aussi malodorante que les gaz d'échappement de sa pétrolette. À cent kilomètres à la ronde, on disait qu'il avait le mauvais œil. Mieux valait lui donner tout ce qu'il demandait, pourvu qu'il déguerpisse au plus vite. Notre homme s'en arrangeait fort bien : cela favorisait son commerce.

C'est ce qui donna à Raoul l'idée d'exploiter la peur que nous-mêmes inspirions aux populations locales.

— Tous ces culs-terreux, on va leur fiche une de ces trouilles ! s'exclama-t-il en posant devant moi un vieux bouquin qu'il avait trouvé dans les papiers de notre père.

Je l'ouvris et lus le titre : *De versipellibus creaturis diabolicisque exstinguendis**. C'était entièrement écrit en latin, mais père en avait traduit et annoté de longs passages.

Je rejetai le livre sur la table.

— C'est quoi, cette connerie-là ?

— Un ouvrage sur les loups-garous, écrit par un dominicain du début du xvie siècle.

— Et ça va nous servir à quoi ?

— À jouer au croque-mitaine !

Nous éclatâmes de rire ensemble. L'idée me plaisait. Ce n'était qu'un jeu après tout.

— Et de cette façon, on vengera la mort de papa, ajouta Raoul.

Nous montâmes donc au grenier et fouillâmes dans le bric-à-brac que des générations de Mallemort avaient accumulé.

Raoul trouva une authentique peau de loup dont la tête lui faisait comme un capuchon. Moi, je dus me contenter d'une dépouille d'ours mitée.

---

* Traduction : *De l'anéantissement des loups-garous et autres créatures diaboliques.*

Je m'en fis une cape, ajoutant au déguisement un casque à pointe prussien, histoire de donner à l'ensemble un aspect plus farouche.

Un jeu. Oui, au début, ce ne fut que cela. Un simple jeu.

La date de notre première expédition fut fixée, comme de raison, au premier soir de pleine lune, selon le calendrier des Postes. Nous avions tout prévu. Nous nous étions barbouillés le visage de cirage noir et nous avions même sculpté de fausses pattes de loup en bois, armées de griffes faites de clous tordus. Fixées à l'extrémité d'une paire d'échasses, elles laissaient des empreintes qui ne manqueraient pas de semer la terreur.

Ce fut une nuit fantastique. Je me vois encore sur la place de l'église, la tête projetée en arrière, les mains en cornet devant la bouche pour mieux imiter l'appel du loup avec de savantes vocalises auxquelles répondaient les hurlements de mort de tous les cabots du voisinage. Je me souviens de Raoul qui piétinait avec frénésie les parterres du curé du haut de ses échasses, pendant que, de mon côté, je raclais les portes en poussant des grognements si exagérés que nous avions peine à ne pas pouffer de rire... Quel charivari nous avons mené sous toutes ces fenêtres aux volets clos! Quel plaisir sadique nous avons éprouvé rien qu'à imaginer tous ces gens suant de peur au fond de leur lit!

La réussite fut totale. Les jours qui suivirent, les départements de la Lozère et de l'Aveyron ne parlèrent que de ça. Les gardes champêtres tambourinèrent la nouvelle de village en village. Les préfets, ôtant leurs binocles de leur nez, s'en émurent et les curés en chaire annoncèrent presque la fin du monde. Il paraît qu'on en parla même dans les gazettes de Paris...

Pendant une semaine, nous fûmes les maîtres de la nuit. Nous aurions dû en rester là.

Ce n'était pas l'avis de Raoul. Je lui disais:

— Il faut arrêter. Ça risque de mal finir. Ils ont tellement la *pétoche** qu'un de ces crétins risque de nous chauffer les fesses à la chevrotine. Il y en a même qui ont commencé à poser des pièges à loups un peu partout. Ça devient trop dangereux.

---

* En argot: avoir peur.

Obstiné, Raoul ne voulait toujours pas cesser cette mascarade. Il y avait pris goût.

La suite le prouva.

Le dimanche suivant, je le prévins :

— Puisque tu ne veux rien écouter, moi, j'arrête. Tu continueras tout seul tes crétineries et, si tu te fais épingler, viens pas te plaindre. Ne compte pas sur moi pour t'apporter des oranges en prison.

J'aurais dû le forcer à arrêter. Je crois que c'est là que j'ai commis ma plus grande erreur. Une erreur qui me rend en partie responsable de tous les malheurs survenus par la suite.

Raoul poursuivit donc son entreprise de terrorisme nocturne, et ce qui n'était à l'origine qu'une simple farce de gamins prit à mon insu une autre dimension.

Cet automne-là, j'avais quitté Castelbouc pour aller faire les vendanges du côté de Cahors, et c'est par les journaux locaux que je suivis les exploits de mon frère, sans trop savoir si je devais lui attribuer avec certitude tel méfait ou tel autre.

Ici, des meules de foin avaient été incendiées. Là, les pierres tombales d'un cimetière avaient été renversées et le christ d'un calvaire avait été décapité. Ça, c'était bien dans son style. Mais ce cadavre retrouvé défiguré au fond des gorges de la Jonte et cet enfant disparu en plein causse Noir, se pouvait-il qu'il y fût pour quelque chose?

Je repoussais cette idée avec horreur, éprouvant de la honte du seul fait qu'elle ait pu me traverser l'esprit.

Je revins au château à la fin d'octobre. Un épais brouillard recouvrait le pays. Lorsque je descendis de bicyclette au pied de l'éperon rocheux sur lequel se dressaient les ruines de notre demeure, je ne pus réprimer un frisson. On aurait dit qu'en mon absence les tours noircies qui émergeaient de la brume avaient pris un je-ne-sais-quoi de lugubre qui soulignait leur état de délabrement extrême.

Un vol de corneilles m'accueillit par un concert de cris discordants. La maison était plongée dans le noir, à l'exception de quelques lueurs dansantes à l'une des lucarnes du grenier.

Je montai l'escalier.

— Raoul, es-tu là?

Aucune réponse.

La grande salle était dans un désordre inouï. Il y régnait une odeur écœurante de produits chimiques et de viande avariée. J'allumai une lampe à pétrole et lus quelques-unes des étiquettes collées sur les fioles qui encombraient l'immense table de chêne, au bout de laquelle se dressait encore le fauteuil de notre père : *belladone, strychnine, datura, pavot, asa fœtida, ciguë, morelle noire, ergot de seigle, jusquiame, aconit, opium, sang de chauve-souris et graisse de chat.* Je ne pus m'empêcher de penser que tous ces poisons et ces drogues avaient davantage leur place dans le laboratoire d'un apprenti sorcier que dans la maison ancestrale des Mallemort.

Je cherchai de quoi manger. Je dus me contenter d'un quignon de pain rassis et d'un fond de bouteille de vin qui avait un arrière-goût horrible.

Peu après, je mis une bûche dans l'âtre et je sombrai aussitôt dans un curieux état de somnolence où chaque sensation me reliant à la réalité se trouvait déformée et amplifiée jusqu'à m'en donner le vertige.

Une sorte de musique me sortit de ma torpeur. On aurait dit une psalmodie interminable avec des accents presque barbares. Et la voix qui chantait cette prière envoûtante m'était à la fois familière et inconnue.

Cela venait des combles, dans la partie nord du château.

Je réussis à me lever et montai les marches en titubant. La voix me parvint plus distinctement.

C'était Raoul.

Que pouvait-il manigancer là-haut, à une heure pareille ?

La tête me tournait. Je dus m'appuyer sur une des poutres soutenant le toit pour ne pas m'affaisser. Ce que je vis alors me frappa de stupeur. C'était bien mon frère qui était là, bien qu'avec sa barbe et ses cheveux longs, j'aie cru voir un instant le fantôme de notre père. Il était flambant nu au milieu de la place. Sur le plancher était dessinée à la craie une étoile à cinq branches éclairée par des chandelles, avec, au centre, un gros animal velu que je reconnus comme le gros loup empaillé qui avait fait si peur à maman.

Raoul ne m'avait pas entendu et, caché dans l'ombre, je retins ma respiration. Les mâchoires serrées, la crinière en bataille, mon frère commença alors à tourner en rond en ponctuant sa marche de halète-ments sourds. Puis il se mit à uriner comme pour mieux délimiter le cercle à l'intérieur duquel il se tenait. Il plaça ensuite devant lui une grande soupière, remplie d'une mixture laiteuse qu'il lapa à quatre pattes.

L'effet fut foudroyant. Les yeux révulsés, l'écume à la bouche, il se roula à terre, en proie à des crampes abdominales qui le firent se tordre de douleur.

Je crus qu'il allait mourir, mais, soudain, il reprit vie, dépliant chacun de ses membres avec la lenteur d'un carnassier qui s'étire au réveil. Ses traits s'étaient durcis et avaient pris un aspect bestial. Tout son poil était hérissé et ses yeux brasillaient comme deux charbons ardents. Des sons incohérents sortaient de ses lèvres violacées, se transformant peu à peu en une incantation, hurlée sans retenue :

Salut, ô esprit du loup! Salut!
Inspire-moi, prends-moi, fais de moi
Un loup fort et courageux,
La terreur des jeunes et des vieux,
Allonge mes griffes!
Aiguise mes dents!
Donne-moi le goût du sang!

À ce moment, il se tut pour s'enduire tout le corps d'un onguent noirâtre. Puis il reprit sa prière impie :

Ô créature des Ténèbres
Reine de la Nuit, protège-moi!
Dévie la balle du fusil!
Émousse la lame du couteau!
Fais éclater le bois du gourdin!
Éveille la peur dans l'âme du chasseur
Afin que nul ne m'attrape
Ne me saigne ou ne m'écorche...

J'étais sidéré, incapable de bouger.

Dans un tel état, Raoul était capable de tout. Le livre de père ne disait-il pas que ceux qui souffraient de cette *insania lupina* ou fièvre lycanthropique se prenaient réellement pour des loups, qu'ils sentaient leur fourrure pousser à l'intérieur de leur corps, qu'ils déterraient les cadavres des cimetières pour leur dévorer le cœur et la cervelle? J'avais lu aussi, dans des ouvrages médicaux, qu'il ne fallait pas accorder trop de crédit à toutes ces histoires parce que les malheureux ainsi possédés ne faisaient souvent que rêver les horreurs et les meurtres qu'ils croyaient commettre...

Comment savoir? Les loups-garous existaient-ils vraiment? Les écrits anciens disaient-ils la vérité? Se pouvait-il que Raoul ait succombé à cette monstrueuse soif de tuer qui sommeillait en lui? Pire encore, ce dérèglement mental était-il une maladie héréditaire ou plutôt une malédiction qui pesait sur notre famille depuis des siècles et des siècles?

Père en était mort. Raoul en présentait déjà les premiers symptômes. Moi-même, peut-être...

Mais je n'eus pas le temps de m'interroger plus avant. Le craquement inopportun d'une latte du plancher ayant trahi ma présence, d'un bond prodigieux Raoul sauta sur moi et me renversa.

Il n'avait vraiment plus rien d'humain. C'était un fauve, gueule ouverte, qui me labourait les épaules et cherchait ma gorge, prêt à me sectionner la carotide d'un coup de dent.

Nous luttâmes férocement.

Dans les moments de très grand danger, lorsque nous faisons face à la mort, nous mobilisons nos dernières forces. L'instinct brut prend alors le relais de la raison et Dieu seul sait ce que nous sommes capables d'accomplir.

Je me trouvais un peu dans cet état psychique. Du moins, je le suppose... Car, dans ce genre de transe, le temps, la mémoire et jusqu'à la conscience de sa propre identité sont temporairement abolis.

Je sais seulement que je me défendis avec l'énergie du désespoir, rendant coup pour coup.

Je cognai, cognai et cognai sans arrêt.

Je lui criai :

— Arrête ! Tu es fou ! C'est moi, Vincent !

Je vis alors son mufle se dilater et se rétracter. Il me flaira longuement, sans me quitter de ses prunelles de feu. Reconnut-il mon odeur ? Une partie de son cerveau malade avait-elle conservé assez d'humanité pour se souvenir du lien qui nous unissait ? Je ne sais pas.

Reste que le monstre m'épargna. Du moins, c'est ce que je crois.

En effet, chaque fois que je réfléchis à cette scène, le doute s'installe un peu plus en moi. Que m'est-il vraiment arrivé, ce soir-là ? Raoul m'a-t-il réellement agressé ?

En fait, il me reste une seule certitude : quelque chose d'horrible s'est produit. Je le sais parce que, chaque nuit, je refais le même cauchemar : Raoul est à terre, secoué par des convulsions. Je suis debout, un chandelier à la main. Il y a du sang. Beaucoup de sang.

Réalité ou cauchemar ? Je me pose toujours la question.

À moins que la vérité soit ailleurs, toute simple. J'étais dans un état de tension nerveuse extrême et il n'est pas impossible que le seul fait de me retrouver dans ce lieu maudit chargé de souvenirs m'ait plongé en plein délire hallucinatoire. Sans compter que j'avais bu plus que de coutume et puis, avec toutes ces drogues qui traînaient un peu partout... qui sait ?

En tout cas, le lendemain, c'est dans mon lit que je me réveillai. J'avais une migraine épouvantable.

Je suis monté au grenier. J'ai fouillé partout. Inexplicablement, Raoul avait disparu. Le plancher d'une des pièces était maculé de taches brunâtres, mais je renonçai bientôt à en chercher l'origine.

Le lendemain, je reçus un télégramme de mon frère.

Raoul m'écrivait qu'il valait mieux que nos routes se séparent. Il avait décidé de partir au loin. Il m'écrirait plus tard pour me donner sa nouvelle adresse. Je relus son mot. Il finissait par un post-scriptum qui acheva de semer la confusion dans mon esprit :

Dis donc, quelle cuite tu tenais l'autre jour!

Complètement déchaîné... Lâche la bouteille, mon gars! Le delirium tremens *te guette!*

4

Le vaisseau fantôme

8 mars 1912

Six bons mois se sont écoulés. Enfin, les premiers signes du printemps ! Raoul n'a pas montré signe de vie, mais je sais qu'il viendra dès que le réchauffement de la température aura brisé la prison de glace dans laquelle nous sommes emprisonnés. Il sait que l'attente use les nerfs et affaiblit la vigilance de ceux qui se savent guettés. Tous les grands prédateurs agissent ainsi. La fatigue est leur alliée, et je parierais qu'il se réjouit de nous avoir laissés geler sur ce rocher, rongés par l'inquiétude.

Car l'hiver a été un véritable calvaire.

Comme d'habitude.

Des trente-six phares du golfe, celui de l'Île-aux-Morts est sûrement le plus oublié de Dieu.

Ailleurs, dès que la saison de navigation est terminée, on éteint les lanternes, et les gardiens de la pointe Heath, au cap Spear, quittent leur ermitage marin pour passer les pires mois de l'année bien au chaud en ville, à Saint-Jean, à Québec ou à Rimouski. Pas ici. Cette année, les autorités de l'Inspection générale ont jugé, à la fin de l'automne, que la mer était trop mauvaise pour accoster. Le bateau de ravitaillement ne reviendra donc qu'au cours de l'été prochain. Je voudrais bien voir un de ces fonctionnaires, avec leurs chapeaux mous et leurs cols de celluloïd, passer douze mois, à des dizaines de milles marins de la terre la plus proche, sur ce plateau d'à peine cinq acres, sans un arbre, cerné par endroits de falaises à pic de plus de cent pieds. Oui, ils devraient venir faire un tour, quand le vent chargé d'embruns souffle à plus de soixante-dix nœuds et soulève des vagues énormes qui montent à l'assaut du roc et trempent jusqu'aux os ceux qui osent s'aventurer dehors.

Depuis 1870, date de la construction du phare, il y a eu une quinzaine de gardiens avant moi. La plupart n'ont pas tenu deux ans. Le premier a perdu sa femme, faute de secours, et son fils s'est noyé. On dit qu'il a maudit l'île en la quittant et que, depuis ce temps, tous ceux qui y ont séjourné ont connu un destin tragique. Le deuxième occupant des lieux, cinq ans plus tard, devint fou. À l'asile de Saint-Jean-de-Dieu, il avait encore dans la tête la clameur ininterrompue des quarante mille oiseaux marins de l'île et se plaignait tout le temps que ses aliments sentaient l'odeur du poisson régurgité. Le troisième gardien a été réduit en miettes par l'explosion du canon à brume. Un quatrième est mort empoisonné après avoir bu de l'eau des citernes souillée par la fiente de mouettes. Faute de terre meuble pour l'enterrer décemment, sa femme dut saler et conserver son cadavre dans la glace, jusqu'à l'arrivée de la relève six mois plus tard. L'Île-aux-Morts est vraiment un enfer*.

Dans le métier, tout le monde a entendu parler de cette série d'accidents. C'est sans doute la raison pour laquelle on m'a offert si facilement ce poste, après une entrevue vite expédiée : *Vous n'avez pas peur de la solitude ! Vous dormez peu. Vous savez lire. Vous êtes*

---

* Dans le jargon des gardiens, les phares sont classés en trois catégories : les phares en mer construits sur un récif ou une roche émergée, les phares sur une île et les phares à terre, auxquels on appliquait respectivement les qualificatifs d'enfer, de purgatoire et de paradis.

capable de tenir un journal de bord et un livre de comptes. Parfait! Voici une brochure qui vous détaillera les 193 règlements à respecter et l'utilisation des 18 pavillons du code international des signaux de sémaphore. Le salaire est de 600 $, plus dix cordes de bois de chauffage et des provisions pour un an. Vous avez le poste! Dieu vous protège!

Mais à l'époque, que m'importait! Je ne venais pas là pour gagner ma vie. Je voulais me retirer du monde, oublier qui j'étais, me perdre dans l'immensité de cette nature vierge, au contact de laquelle je pensais retrouver une certaine innocence perdue.

Vain espoir. Je sais maintenant qu'on n'échappe pas à son destin.

Hier, il a encore neigé et poudré une bonne partie de la nuit, mais le temps se radoucit et les signes avant-coureurs du printemps sont évidents.

Annabelle passe ses journées, le front collé sur les vitres de la fenêtre, à écouter le vent et à regarder les flocons tourbillonner dans le ciel.

Ces longs mois d'isolement lui pèsent, je le sais. Elle se lève tard, ouvre un livre, le referme en soupirant:

— Ce maudit hiver ne finira donc jamais!

Je garde le silence, évitant de répondre, et je me contente de bourrer le poêle avec nos dernières bûches.

Je me tais, mais je sais que notre long calvaire s'achève. Il y a des signes qui ne trompent pas. Ce matin, par exemple, en déblayant la neige sur le sentier du phare, j'ai aperçu un fou de Bassan qui se laissait porter par le vent, ailes immobiles. En mars, c'est assez rare. Cela veut dire que le dégel va être précoce. L'île ne va pas tarder à grouiller de vie au point où on ne pourra plus poser un pied sans écraser un nid, ni lever la tête sans être à demi aveuglé par une fine pluie de duvet et de poux d'oiseaux.

Le soleil aussi est plus chaud. Surtout, il y a dans la lumière qui caresse les rochers et fait scintiller la neige une douceur indicible qui incite à abandonner un instant le travail qu'on est en train d'accomplir pour savourer la magnificence du paysage et respirer à pleins poumons.

Et puis, il n'y a pas seulement les oiseaux de mer qui vont bientôt secouer la léthargie de cet hiver trop long. Dans quelques jours, une semaine tout au plus, les troupeaux de loups-marins vont envahir les champs de glace qui s'étendent à perte de vue autour de l'île, et, en même temps que les phoques, vont surgir les chasseurs et leur flotte : baleiniers norvégiens, goélettes terre-neuviennes et phoquiers madelinots.

Il a beaucoup neigé pendant la nuit. À l'aube, malgré le vent glacé qui souffle plein nord, j'ai grimpé sur le toit du hangar à provisions qui menace de crouler. Au loin, dans le détroit de Cabot, j'ai cru apercevoir la silhouette d'un navire. Un vapeur qui essayait de se frayer un chemin dans le pack*. On distinguait la fumée de sa cheminée. Je me suis demandé si je n'étais pas victime d'un mirage, car le froid a de curieux effets. Il engourdit le cerveau et, au bout d'un certain temps, il vous plonge dans une sorte d'état de rêve éveillé.

Frigorifié, je suis retourné à la maison. J'étais exténué et Annabelle m'a aidé à me coucher. Au bout d'une heure ou deux, elle m'a sorti de ma torpeur en me secouant avec insistance.

---

* Glaces flottantes arrachées à la banquise par les courants.

— Vincent ! Vincent ! Réveille-toi, tu fais encore un cauchemar. Tu cries et tu es tout en sueur.

En fin d'après-midi, le vent a tourné et il s'est remis à faire beau. Si beau que j'ai retrouvé ma bonne humeur. J'ai proposé à Annabelle de monter au phare avec moi. J'avais à vérifier quelques-unes des lampes qui avaient tendance à charbonner et à salir les réflecteurs.

— Tu verras, de là-haut on a toute une vue ! lui ai-je dit.

Annabelle, contre toute attente, a accepté mon invitation. Elle a enfilé un de mes cabans de laine, et j'ai insisté pour qu'elle coiffe mon casque de fourrure à oreilles, à cause du vent qui souffle dans les hauteurs.

Un quart d'heure plus tard, nous étions au sommet, sur la passerelle extérieure qui ceinture la lanterne. Le spectacle était vraiment dantesque. La mer gelée depuis la mi-janvier avait pris un aspect chaotique. Les mornes étendues de glaces éclataient de toutes parts, sous la formidable poussée des courants et des marées, pendant que les eaux gonflées par le dégel charriaient d'énormes masses de débris qui s'empilaient et se chevauchaient avec fracas. À l'ouest, poussées par le fleuve Saint-Laurent, il y avait les plaques verdâtres de glace d'eau douce qui formaient de gigantesques embâcles. Autour de l'île, c'étaient d'immenses glaciers qui, sous l'effet du flux et du reflux, venaient se fracasser sur les rochers.

Bientôt, ai-je expliqué à Annabelle, l'océan allait tout broyer le paysage et, quand les eaux seraient libres, allait défiler lentement le troupeau des icebergs descendus de l'Arctique.

Alors, les beaux jours seraient enfin là.

Fascinée par le spectacle, Annabelle a semblé revivre. L'œil collé à ma longue-vue, elle a fouillé chaque crevasse et chaque empilement de blocs de glace.

Tout à coup, elle a poussé un cri en fixant un point, au nord-est.

— Un navire !

Elle m'a passé l'instrument.

C'était bien le caboteur que j'avais cru apercevoir le matin même. Un charbonnier, d'après les suintements noirâtres qui s'écoulaient de ses dalots.

Je l'ai examiné attentivement. Son bastingage et ses mâts de charge étaient couverts d'une épaisse couche de verglas qui donnait l'impression qu'il était fragile comme du verre. Il était en très mauvaise posture, pris au piège dans une étroite saignée* qui avait refermé sur lui son impitoyable étau. Sa poupe était déjà submergée et sa coque était en train d'être broyée sous la lente pression des glaces À l'aide de jumelles plus puissantes, j'ai essayé de lire le nom du bateau, près de l'étrave. Il était illisible.

Annabelle, inquiète, m'a demandé :

— Y a-t-il encore des gens à bord ?

J'ai parcouru le pont et, soudain, j'ai eu l'impression d'apercevoir quelqu'un : une ombre furtive ou plutôt une forme trapue qui semblait ramper sur le rouf avant. J'ai ajusté les lentilles pour obtenir une meilleure netteté.

La créature était bien là, immobile, comme si elle avait compris qu'on l'observait. J'ai laissé mes yeux se reposer un moment avant de braquer de nouveau les jumelles à l'endroit de ma découverte. Stupéfait, j'ai failli laisser tomber l'instrument. Un homme était effectivement posté sur la passerelle de navigation et cet homme m'examinait lui aussi à la jumelle.

---

* Crevasse temporaire qui permet de naviguer en eaux libres.

Sans savoir pourquoi, cette vue m'a terrifié.

Voyant mon trouble, Annabelle m'a demandé :

— Qu'y a-t-il ? As-tu découvert quelque chose ?

J'ai menti.

— Non rien, je ne vois personne.

Annabelle a serré son châle sur ses épaules. Elle frissonnait. Je l'ai fait rentrer.

Une fois seul, la curiosité l'emportant, j'ai repris l'examen de ce mystérieux navire.

Plus personne !

Certains détails, cependant, m'intriguaient. Tous les canots de sauvetage étaient encore suspendus à leurs bossoirs. Quand on est pris dans les glaces, la première précaution à prendre par un bon capitaine c'est descendre les baleinières. Elles peuvent servir d'abris temporaires et on peut toujours les haler jusqu'aux eaux libres pour aller au devant des secours. D'habitude, également, si on ne veut pas mourir gelé dès la première nuit, on monte des tentes, on fait provision de bois et on stocke des caisses de vivres.

De plus en plus intrigué, j'ai fouillé du regard chaque recoin du bateau pour voir si autre chose m'avait échappé.

Sur le panneau de la cale avant, j'ai alors découvert de longs dégoulinements rouges figés par le gel. La vérité m'a éclaté en pleine face. Du sang! C'était du sang! Et en scrutant un peu plus attentivement les superstructures du navire, je me suis aperçu qu'il y en avait un peu partout. On s'était battu, c'était évident. Battu sauvagement. Il suffisait de voir les impacts de balles et le désordre qui régnait sur le pont.

Mais où étaient les corps? Y avait-il des survivants? Comment ceux-ci avaient-ils pu s'évanouir?

À cet instant, Annabelle m'a appelé de l'intérieur de la lanterne:

— Que fais-tu? Viens!

— Juste une minute! ai-je répondu en me retournant.

Bizarrement, je ne me résolvais pas à quitter les lieux. Je savais pourtant que je ne pouvais rien faire. La zone était trop dangereuse, le vapeur trop loin pour utiliser le lance-grappin*. S'il y avait des rescapés, ils verraient, la nuit tombée, la lumière du phare et viendraient d'eux-mêmes se réfugier sur l'île.

* Pour rescaper les naufragés, on utilisait une sorte de canon qui projetait un grappin relié à un filin dans la mâture des navires échoués à courte distance des côtes. Une nacelle permettait ensuite de ramener équipage et passagers sur la terre ferme.

La présence de ce navire, si loin des routes habituelles, demeurait néanmoins une énigme. Que s'était-il passé? L'arbre de son hélice avait peut-être été brisé par les glaces. Y avait-il eu une mutinerie à bord? Les hommes d'équipage avaient-ils été victimes d'une sorte de folie collective les ayant poussés à s'entre-tuer?

Mille questions se bousculaient dans ma tête, quand tout à coup, j'ai eu comme une illumination et j'ai compris la vraie raison pour laquelle le sort de cette épave désertée me préoccupait tant.

Et si le responsable de cette tuerie c'était LUI? S'il s'était caché à bord? Si l'homme qui me guettait tantôt n'était nul autre que Raoul?

Il fallait que j'en aie le cœur net. J'ai ressorti les jumelles de leur étui et j'ai fouillé une fois de plus le chaos des glaces.

Surprise! Le navire n'était plus là. Sans doute happé par les glaces. Seule la présence d'un tonneau éventré et de quelques cordages éparpillés sur les lieux était encore là pour rappeler la réalité tragique du naufrage auquel je venais d'assister, impuissant.

Au crépuscule, comme promis, j'ai allumé le phare. Le faisceau lumineux du feu tournant a balayé les ténèbres en vain. D'ailleurs, avec le thermomètre qui est brutalement tombé à ~20 °C, je doute que quiconque ait survécu.

J'ai attendu une heure. Peut-être deux. Puis j'ai redescendu les marches et, une fois à l'extérieur, je me suis dirigé vers le débarcadère. Au bas de l'escalier de bois qui relie le plateau à la grève, j'ai agité mon fanal dans la nuit. Pas un signe de vie. Pas un appel. Pas une lueur.

Alors, j'ai posé ma lampe, le temps de remonter le col de mon capot de fourrure et de frapper mes moufles l'une contre l'autre, car mes doigts commençaient à être engourdis par le froid.

Lorsque je me suis penché pour reprendre le fanal, c'est là que je les ai vues. Des empreintes de pas! Des empreintes encore toutes fraîches! Des empreintes qui ressemblaient à celles d'un animal gros comme un ours polaire. Mais c'était impossible, je le savais. Les ours ne s'aventurent pratiquement jamais aussi loin au sud*.

J'ai suivi les traces un moment. L'animal était sans doute blessé, car, régulièrement, des taches rougeâtres étoilaient la neige. J'ai alors pensé : je ne me suis pas trompé. L'homme aux jumelles sur le bateau, c'était bien LUI.

Au nord de l'île, les falaises étaient percées de grottes accessibles à marée basse. S'il avait été atteint par une balle, il avait dû s'y réfugier pour se lécher la patte et reprendre des forces...

J'ai couru jusqu'à la maison. Sitôt la porte franchie, j'ai tiré tous les verrous et vérifié si mon fusil était toujours chargé.

À demi endormie, Annabelle est sortie de la chambre.

— Alors ? m'a-t-elle demandé.

— Rien, ai-je répondu. Rien du tout.

---

* La seule attaque répertoriée d'ours polaire contre un gardien se produisit en 1858, au phare de Belle-Isle (Terre-Neuve).

5

Annabelle

10 mars 1912

Nous approchons maintenant de la mi-mars et le beau temps s'est vraiment installé. La neige commence à fondre, faisant sourdre des rigoles d'eau qui cascadent du haut des falaises.

C'est par un jour semblable que je suis arrivé au Québec. Je n'avais pas eu de nouvelles de mon frère depuis des années et puis, un jour, comme ça, j'ai reçu une lettre du Canada, signée de Raoul. En quelques mots, il m'expliquait qu'il avait gagné pas mal d'argent en achetant un vieux schooner* avec lequel il avait fait la contrebande d'alcool entre Terre-Neuve et les îles Saint-Pierre et Miquelon. Puis il avait

---

* Goélette à deux mâts utilisée pour le commerce.

ouvert une sorte de poste de traite sur la côte nord du Saint-Laurent. Il achetait aux Montagnais et aux Cris des pelleteries qu'il revendait à des fourreurs parisiens. Il avait réussi également à se procurer quelques couples de renards argentés et s'était lancé avec succès dans leur élevage. Un chasseur indien venait de lui capturer des visons et des pécans* qu'il comptait amener à se reproduire en captivité. Il avait besoin d'un homme de confiance pour l'aider dans ses affaires : moi. Il m'envoyait de l'argent et me demandait d'oublier tout ce qui s'était passé entre nous.

De mon côté, depuis le mystérieux départ de mon frère, j'avais vagabondé à droite et à gauche. Un temps, j'avais songé partir aux colonies, en Indochine, puis en Afrique. La maladie m'en avait empêché. Selon les docteurs, je souffrais à cette époque d'une sorte d'*état dépressif accompagné de troubles de la personnalité*. J'avais même fait plusieurs séjours dans différentes cliniques dont j'ai oublié le nom. Sauf celle de Saint-Rémy-de-Provence où je m'étais lié d'amitié avec un drôle de type. Un peintre

---

* Le pécan ou *martes pennanti* est une sorte de martre. Sa fourrure valait une fortune (100 $ au début du siècle).

hollandais qui avait été enfermé pour s'être coupé une oreille au rasoir et l'avoir envoyée en gage d'amour à une certaine Rachel. Il s'appelait Vincent. Comme moi. Je me souviens de ses tableaux. Il peignait des champs de blé et des tournesols dont personne ne voulait. Une de ses toiles m'avait fasciné. Elle représentait un ciel rempli d'étoiles qui tourbillonnaient à en donner le vertige.

Bref, l'idée d'aller refaire ma vie dans un pays neuf, où l'espace était à la mesure des ambitions les plus folles, ne me déplaisait pas.

Je répondis que j'acceptais et pris le premier paquebot à destination du Canada.

Quinze jours plus tard, je débarquai avec ma valise de carton bouilli sur le quai de Mingan.

Raoul m'y attendait.

Il ressemblait à un trappeur sorti d'un roman à quatre sous. Toque de raton laveur, veste de daim frangée et ceinture fléchée. Il sentait le mauvais whisky et chiquait du tabac en projetant régulièrement autour de lui des crachats noirs. Il m'accueillit en me donnant de grandes tapes dans le dos et en ponctuant chacune de ses phrases de jurons bizarres où il maudissait un à un tous les objets du culte.

Raoul ne m'avait pas menti dans sa lettre. À voir la façon dont on nous faisait signe au passage de notre carriole, il ne faisait aucun doute que mon frère était devenu un des hommes riches de l'endroit. Un notable qu'on saluait chapeau bas.

Sur une péninsule plantée d'épinettes noires, il avait construit une sorte de rêve en rondins qui essayait de ressembler à notre ancien manoir, avec, en plus, à l'intérieur, un piano à queue et une haute cheminée au-dessus de laquelle trônait une énorme tête d'orignal empaillée.

En voyant ma mine ébahie, Raoul s'esclaffa :

— Ça te plaît ? Pas mal, hein ?

Je répondis par une moue qui le fit rire de nouveau.

— Tu vas voir, tu vas aimer ce pays. La liberté, vieux frère ! Le monde tel qu'il devait être à l'aube de la création. Tu sais comment ils appellent ce coin de pays : la Terre de Caïn ! Tu te rends compte ! Pas de police. Pas de curé. Rien. La nature à l'état sauvage. Tu luttes pour survivre ou tu crèves. Tu te souviens, comme le disait papa : *homo homini lupus**.

---

* traduction : L'homme est un loup pour l'homme.

Raoul avait raison. Au contact de ce pays neuf, je retrouvais peu à peu la joyeuse extravagance et la fureur de vivre de mes années de jeunesse. Du temps de nos frasques à Castelbouc. À une différence près : comme j'avais vieilli, mes plaisirs et ma soif d'aventures m'amenaient souvent à me comporter comme la pire des brutes. Je me saoulais à en perdre le souvenir de mon propre nom et je me réveillais souvent aux côtés de filles de bar ou de petites sauvageonnes dont j'ignorais même le nom.

Raoul, lui aussi, s'était déjà taillé toute une réputation. Partout où nous passions, on le connaissait et on le craignait comme le diable en personne.

Crainte qui ne se dissipait pas, lorsque je protestais que j'étais son frère. Donc, différent de lui.

Il faut dire que, loin de dénoncer les racontars qui couraient à son sujet, Raoul semblait, au contraire, encourager tout ce qui pouvait alimenter sa légende et frapper l'imagination des habitants de la région.

Je n'oublierai jamais le voyage en traîneau à chiens que je fis avec lui au Labrador où nous devions prendre un chargement d'ivoire de morse et de fourrures. Plus de mille kilomètres, de Kegashka à Fort-Chimo*, par le lac Petitsikapau et la rivière Caniapiscau. Deux mois de course folle, plein nord, sur des rivières gelées et un plateau désolé, jusqu'à la baie d'Ungava.

Pour l'occasion, il avait réuni les plus extraordinaires attelages qu'on ait jamais vus. Que des bêtes féroces : huskies de Sibérie, malamutes d'Alaska, samoyèdes et chiens esquimaux mâtinés de loup qui ne craignaient pas le fouet et qui montraient les crocs dès qu'on approchait d'eux.

Mais Raoul n'avait qu'à apparaître, emmitouflé dans son capot de chat, et tous ces tueurs à quatre pattes s'écrasaient, gémissant et rampant devant lui, la queue entre les jambes.

Quelle randonnée ce fut ! Il fallait nous voir filer sur la piste. La winchester à l'épaule, nous nous sentions vraiment les rois du Nord. Les aboiements des chiens, la morsure du froid, l'ivresse de la glisse au milieu des tourbillons de neige, l'odeur des fourrures qui m'enveloppaient, tout éveillait en moi un indicible sentiment de liberté, comme si ce milieu sauvage avait toujours été le mien.

---

* Aujourd'hui : Kuujjuaq.

Raoul avait dû ressentir un bonheur euphorique semblable en s'installant dans ces contrées vierges, et je lui étais reconnaissant d'avoir voulu me le faire partager. Finalement, c'était lui qui avait raison. Il ne fallait garder du passé que la soif de vivre et oublier le reste. En particulier, certains mauvais souvenirs du Gévaudan...

J'en étais venu à penser ainsi, car en terre d'Amérique, la mentalité était si différente ! Tout ce qui nous avait valu d'être détestés dans notre pays d'origine – la nature farouche de Raoul, sa force vitale, son intelligence instinctive, ma propre violence cachée et mon amour de la vie solitaire – loin d'être perçu comme une menace, nous faisait passer pour des aventuriers de haut vol à qui rien ne pouvait résister.

Un incident réveilla cependant mes doutes et me convainquit que Raoul n'en demeurait pas moins un malade dangereusement imprévisible, souffrant toujours du même mal étrange. Un mal qui me rappelait celui dont père était mort et auquel je n'osais donner un nom précis.

Cet incident troublant se produisit au-delà du 56e parallèle, là où la forêt boréale cède peu à peu la place aux immensités mues de la toundra. Nous n'étions plus qu'à cinq ou six journées de la rivière Koksoak, au bord de laquelle nous avions rendez-vous avec un groupe de chasseurs.

Pas un Blanc avant nous n'avait foulé ce territoire. Nous étions à court de provisions. Plus de farine. La graisse et la semoule de maïs qui nous restaient, nous les gardions pour les chiens, nous contentant chaque soir de quelques tasses de thé bouillant et d'un peu de bannock*. Nous étions si faibles que nous n'avions plus la force de monter nos tentes ni d'enlever nos manteaux de four-rure croûtés de givre. À peine le feu allumé, nous nous endormions assis, à l'abri de nos traîneaux dressés**.

Le temps était exécrable. Deux semaines de blizzard. Un froid qui nous brûlait les joues et qui nous pelait la peau du nez. Puis, soudainement, une hausse de température qui ramollit la neige et la rendit collante. Les chiens s'épuisaient et nous devions les aider dans les pentes de la Terre-Haute***. Quand nous faisions halte, les pauvres bêtes avaient la poitrine couverte d'un plastron de bave

* Sorte de pâte à biscuit autochtone.
** La coutume du Nord voulait qu'on dresse debout les traîneaux pour éviter que les patins restent pris dans la glace au petit matin.
*** Sorte de haut plateau du Labrador qui marque la ligne de partage des eaux.

gelée et elles se mordaient les pattes avec rage pour en extirper les bouchons de neige qui s'y étaient agglutinés.

Certains jours, quand le temps était plus clément, nous marchions quatorze heures d'affilée pour profiter d'une surface dure. D'autres fois, pour obtenir les mêmes conditions, nous devions nous lever à deux heures du matin ou même renoncer à nous coucher et forcer les bêtes à courir toute la nuit au clair de lune.

Pendant plus d'un mois, nous avançâmes ainsi, le ventre vide, la barbe longue et les doigts noircis par les engelures. Nous vécûmes ainsi dans la solitude, sans rencontrer âme qui vive. À l'exception d'une petite bande de Naskapis aussi affamés que nous. Ces hommes, avec leurs capots multicolores et leurs leggins rouges de peau de chevreuil, nous toisèrent avec orgueil. Moins fières, les femmes, elles, enveloppées dans leurs couvertures, nous mendièrent quelques miettes en nous montrant leurs bébés accrochés à leurs seins vides. Elles n'avaient plus que de l'eau de poisson bouilli à leur céder. Raoul les repoussa avec rudesse. Je leur donnai un reste de lait en poudre. Elles m'assaillirent de toute part, et je dus, moi aussi, me battre avec elles pour qu'elles ne pillent pas tout ce qui me restait.

Le lendemain, à la décharge d'un lac, nous croisâmes un troupeau de caribous qui détala au galop. Raoul visa le moins rapide, ne parvenant qu'à le blesser. L'animal s'enfuit dans la forêt en boitillant. Plus habitué que moi, mon frère chaussa aussitôt ses raquettes et le suivit à la trace en me criant de m'occuper du bivouac.

Plusieurs heures s'écoulèrent. Il ne revenait pas. Comme il me l'avait demandé, j'installai donc le camp et fit chauffer de l'eau pour le thé.

Le soir tombait. À ces latitudes, il n'est pas rare que la température tombe à -50 °C. Je commençai à m'inquiéter et tirai un coup de feu en l'air dans l'espoir que Raoul l'entendrait et se manifesterait.

Pour toute réponse, je ne perçus qu'un lointain concert de longs hurlements modulés auxquels, un à un, tous nos chiens se joignirent en poussant de longues plaintes lugubres.

Des loups !

Je savais que les loups n'attaquent pas l'homme, mais je décidai, malgré tout, qu'il valait mieux aller voir ce qui se passait. Raoul avait peut-être besoin d'aide.

Dans les sous-bois, la neige était si épaisse que, malgré mes pattes d'ours, j'y enfonçais presque jusqu'aux genoux, m'accrochant dans les broussailles et trébuchant à chaque pas.

Je débouchai enfin dans une clairière à peine éclairée par une lune blafarde. Le caribou blessé s'y était traîné pour mourir et une bande de loups l'y avaient suivi. Pendant que l'un d'eux tenait la pauvre bête par les naseaux pour l'immobiliser, les autres membres de la meute lui déchiraient le ventre et lui fouillaient les entrailles. À mon approche, toute la bande s'enfuit à l'exception d'un seul. Un mâle au pelage noir, beaucoup plus gros que les autres. Le chef, de toute évidence. Dès qu'il sentit mon odeur, il gronda et se retourna vers moi, ses crocs jaunes découverts et les yeux rouges de colère.

Je voulus reculer. Mes raquettes se chevauchèrent et je me ramassai sur le dos, incapable de me relever.

Je cherchai mon fusil. Il était tombé dans la neige.

Tout se passa alors à la vitesse de l'éclair. Le loup qui bondit. Ma main droite qui tâtonne et entre en contact avec l'acier de l'arme. Le coup qui part. La bête qui roule sur le sol, se relève et déguerpit en claudiquant.

Quand je repris mes esprits, la clairière était déserte.

J'avais perdu mes gants. La neige molle qui avait chuté des sapins m'avait mouillé des pieds à la tête. Tout en me secouant, je criai, les mains en porte-voix :

— Bon Dieu, Raoul, où es-tu ? Réponds !

Aucune réponse.

Je chargeai donc les restes de la carcasse de caribou sur mes épaules et repris péniblement le chemin du campement.

Une surprise de taille m'y attendait.

Raoul était là, enveloppé dans une couverture de laine blanche à bandes rouge, verte et jaune, l'air hébété. J'étais furieux contre lui et l'engueulai vertement. Où était-il passé ? Pourquoi n'avait-il pas répondu aux appels ? Et les loups qui avaient failli me dévorer...

Il me fixa d'un œil torve et approcha ses mains de la flamme dansante du foyer. Je vis qu'il saignait.

— Tu es blessé ?

Ma question le fit grimacer. D'un geste de la tête, il se contenta de me désigner nos chiens couchés en rond près des traîneaux.

— C'est une de ces saletés qui m'a mordu.

— Montre-moi ça, que je voie si c'est grave !

Il me repoussa brutalement et sortit son couteau de chasse.

Il avait dans les yeux la même expression hallucinée que la nuit où je l'avais surpris dans le grenier de Castelbouc. L'espace d'un instant, je crus qu'il allait me frapper.

Il se ressaisit aussitôt et ferma les paupières comme s'il luttait intérieurement. Quand il les rouvrit, la lueur assassine que j'y avais lue avait disparu. Il grogna :

— Va me chercher un peu de whisky blanc pour désinfecter. Quelques brins de tabac arrêteront l'hémorragie. Un truc d'Indien.

Il fit un peu de charpie avec un morceau de guenille et se pansa grossièrement en prenant soin de me dissimuler sa blessure.

Puis, comme si rien ne s'était passé, il se pencha sur la dépouille du caribou et y découpa une large tranche de viande qu'il déchiqueta à belles dents.

Le sang lui dégoulinait au coin de la bouche.

— J'ai une faim de loup ! s'écria-t-il.

Je ne sais pourquoi, mais cette phrase parfaitement anodine me plongea dans une indicible terreur.

Ce soir-là, je dormis avec mon fusil.

Le reste du voyage, nous n'échangeâmes pas trois paroles. D'ailleurs, comme j'avais perdu plusieurs chiens, nous dûmes nous séparer. Raoul partit devant. Je devais le rejoindre plus tard, sans trop forcer mon attelage.

Quand je parvins à Fort-Chimo, la population était en émoi. Au milieu du village, des femmes inuites avec leur bébé dans leur amauti* se lamentaient, la tête dans les mains, se balançant et psalmodiant une sorte de chant lugubre fait de sanglots ponctués de hoquets. Elles faisaient cercle autour d'un corps, cousu dans une vieille peau de phoque, qu'on venait de sortir d'une maison en le traînant à l'aide d'une courroie.

C'était celui d'une toute jeune fille.

Elle avait été sauvagement attaquée et on venait de la retrouver au bord de la mer. D'autres enfants avaient disparu.

Visiblement notre présence n'était pas la bienvenue. Raoul, qui était arrivé depuis deux jours, était en grande discussion avec le chef de la communauté et l'Écossais qui

---

* Vêtement traditionnel des femmes inuites. Sorte de parka avec une longue queue à l'arrière et un capuchon pouvant porter les bébés.

dirigeait le comptoir de la Baie*. Tous trois gesticulaient. Bientôt, il y eut foule autour de nous. Menaçants, plusieurs chasseurs avaient déjà le fusil à la main. Un vieux chaman, à la bouche complètement édentée, nous pointa du doigt et, levant les deux bras en nous faisant signe de nous en aller, se mit à hurler : « Agiortok !, Agiortok ! »

Raoul demeurait imperturbable. Il chargea calmement les peaux qu'il avait réussi à troquer la veille, prit le temps de vérifier les harnais de son équipage, puis me fit signe de le suivre tout en faisant claquer son fouet au-dessus des oreilles de son chien de tête.

— Allez, on fout le camp d'ici ! Hok ! Hok ! Hok** !

D'un seul élan, nos bêtes bondirent en avant et nos cométics*** enfilèrent à toute allure l'unique rue du village avant de disparaître dans le grand désert blanc.

Sur la piste, vingt ou trente milles plus loin, quand nous fûmes hors d'atteinte, je demandai à Raoul :

— Qu'est-ce qu'il voulait dire le type avec ses « agiortok » ?

---

* La compagnie de la Baie d'Hudson.
** Cri des *mushers* ou conducteurs de traîneaux à chiens. Du côté anglophone, ce cri est remplacé par « mush ! », d'où le nom de *mushers*.
*** Traîneau à chiens.

85

— Pour lui, nous sommes des *mauvais esprits*. Il croit que nous leur avons apporté le malheur. Il est persuadé que je suis pour quelque chose dans la mort de la gamine et des autres...

— Et c'est vrai ?

Raoul ne répondit pas. Il fit claquer de nouveau son fouet et me distança rapidement.

C'est en revenant de cette expédition que j'ai rencontré Annabelle pour la première fois.

Dans le courrier que nous avions reçu se trouvait une lettre qui nous invitait à pendre la crémaillère chez un certain Henri Menier, un millionnaire français excentrique, qui venait de se faire bâtir un fastueux pavillon de chasse sur l'île d'Anticosti.

Naïvement, je m'informai :

— Qui c'est, ce Menier ?

Raoul feignit de s'indigner.

— Voyons, tu plaisantes ! Tout le monde connaît Menier ! Menier, c'est le roi du chocolat ! Il y en a qui s'achètent des manoirs anglais ou des écuries de chevaux de course. Lui, son truc, c'est la pêche et la chasse. Il s'est payé, il y a une dizaine d'années, une île dans le golfe Saint-Laurent.

Il m'apprit que cette île était grande comme la Corse et que cet original avait décidé de transformer son immense domaine en une sorte de paradis pour amateurs de saumons et de gros gibier. Il avait donc fait transporter là-bas, par bateau, des centaines de chevreuils, des orignaux, des wapitis, des bisons et des rennes de Laponie! On disait même qu'il chassait l'ours à courre! Le type se prenait pour un vrai roi. Il promulguait ses propres lois et avait fait brûler les villages qui nuisaient à ses projets. Raoul en concluait qu'il était un peu dingue. Par ailleurs, il n'y avait pas meilleur hôte dans tout l'est du Canada. Bon vivant, Menier recevait somptueusement et était aussi dépensier qu'une demi-douzaine de grands ducs russes. Son yacht privé devait venir nous prendre le dimanche suivant.

Effectivement, une semaine plus tard, un magnifique trois-mâts à coque d'acier, équipé d'un puissant moteur, jeta l'ancre devant Mingan en tirant quatre coups de canon pour nous prévenir de son arrivée. Un canot vint nous chercher.

Henri Menier en personne nous reçut en haut de l'échelle de coupée, un verre de champagne à la main.

C'était un bon gros bourgeois barbu, coiffé d'une ridicule casquette de capitaine et sanglé dans un uniforme trop étroit.

— Bonjour ! Bienvenue à bord de *La Bacchante* !

Avec sa fausse simplicité et sa faconde de riche parvenu, l'homme me faisait irrésistiblement penser au Tartarin de Monsieur Daudet. Il nous fit conduire à nos cabines, somptueux appartements lambrissés d'acajou et décorés de meubles rococo surchargés de dorures. Un peu plus tard, je le rejoignis au salon. Il fumait le cigare en compagnie de Raoul. Il nous commenta les hauts et les bas du cours du cacao. Il nous demanda comment allaient nos affaires. Il nous parla surtout de *son île,* sujet sur lequel il était intarissable. Au bout d'une heure, voyant que je dissimulai des bâillements discrets, il écrasa son cigare dans le cendrier et se leva avec la grâce d'un éléphant de cirque.

— Je dois vous quitter, on m'attend sur la passerelle. Prenez vos aises et s'il vous manque quoi que ce soit, demandez à un des domestiques. Ils sont très stylés, je les ai achetés en un seul lot à un lord ruiné.

Je ne garde pas un très bon souvenir de la traversée. La mer était grosse. Je fus malade tout au long du voyage et ne quittai guère ma cabine, sinon pour vomir, penché au-dessus du bastingage.

Nous arrivâmes enfin en vue d'Anticosti.

L'île était loin du jardin d'Éden que j'imaginais. La côte, que nous longions, était jonchée d'épaves et déroulait à l'infini son unique et désolant paysage de rocs déchiquetés et de bouleaux mariés à de maigres conifères.

Une fois à terre, cela rendit d'autant plus surprenante la découverte de la splendide demeure que notre chocolatier avait fait construire au beau milieu de ce désert. Riches tapisseries des Gobelins, balcons suspendus, potiches chinoises, monumentale cheminée de marbre, tourelle avec télescope, immense verrière fleurdelisée donnant sur la mer. À l'exception, peut-être, des dix-huit têtes de cerfs qui ornaient la salle de réception, bien peu de choses correspondaient à l'idée qu'on se fait généralement d'un simple chalet.

Visiblement, c'était l'effet que le maître des lieux comptait produire sur ses invités.

Menier, qui nous avait précédés, nous accueillit dans le hall.

— Entrez ! Entrez ! s'écria-t-il pendant que deux laquais chamarrés d'or se disputaient pour m'ôter mon paletot.

Dans la salle de bal, sous les lustres de cristal, un orchestre jouait des valses de Strauss et la pièce était remplie d'une société choisie : le gouverneur, lord Grey en personne dans son habit galonné d'or, de gros industriels infatués de leur réussite, des Écossais en kilt, de cérémonieux fonctionnaires tout en courbettes, quelques soutanes, auxquels s'ajoutaient les éternels pique-assiettes agglutinés autour du buffet, sans oublier un quarteron de jolies filles, aux décolletés généreux, qui valsaient à s'en étourdir, dans un tourbillon de mousseline et de plumes d'autruche.

— Excusez-moi, je reviens dans un instant. Amusez-vous ! Amusez-vous ! dit Menier qui n'arrêtait pas de serrer ou de baiser des mains.

Raoul s'inclina légèrement, puis me murmura à l'oreille :

— Allons-y, la chasse est ouverte !

Et, passant aussitôt aux actes, il empoigna, sans la moindre gêne, la première fille qui passa à sa portée pour l'entraîner sur la piste de danse.

— Monsieur, je ne vous connais pas ! se récria la donzelle, sur un ton outragé. Lâchez-moi ! Vous me faites mal et, en plus, vous me marchez sur les pieds.

Raoul éclata de rire.

— Mon Dieu ! Quel goujat ! ajouta-t-elle en le frappant à coups d'éventail.

La danseuse se débattit encore un peu, mais, prise par la musique, elle se mit à valser avec lui et, quand l'orchestre s'arrêta, elle ne le quitta point. Au contraire, dès que le violon entamait un nouvel air, c'est elle qui se glissait dans ses bras. Par bonheur, à la troisième danse, un militaire en uniforme le débarrassa d'elle.

Je restai seul un bon moment à observer l'assemblée. Il faisait chaud. La musique m'assourdissait et le tournoiement coloré des robes de bal me donnait le vertige. Coup sur coup, je vidai trois ballons de cognac qui me firent monter le sang à la tête.

Pourquoi avais-je accepté cette invitation, moi qui ne savais même pas danser ?

Désabusé, je m'apprêtai à quitter la salle, quand je vis Menier revenir dans ma direction avec, au bras, la plus merveilleuse créature que Dieu ait jamais mise en ma présence.

C'était Annabelle.

— Ma nièce, dit simplement le chocolatier.

Elle me tendit sa main gantée de satin blanc.

— Vincent de Mallemort, bafouillai-je en lui secouant stupidement le bras.

Elle sourit et ne s'offusqua pas le moindrement de ma maladresse.

Grande, mince, de longs cheveux noués en chignon, un ruban de velours noir autour du cou, elle rayonnait. Elle était d'autant plus belle qu'elle ne semblait pas consciente de son charme. Elle avait à peine dix-neuf ans. Je me souviens encore de la robe qu'elle portait : une robe à tournure* de soie bleu pervenche. Je me souviens aussi de sa timidité un peu gauche de jeune fille fraîche sortie de chez les religieuses. Elle se pinçait les lèvres dès qu'on lui faisait le moindre compliment.

Une fois les banalités de convenance échangées, nous restâmes plusieurs minutes l'un en face de l'autre, silencieux et gênés.

Je remarquai alors qu'elle se balançait sans arrêt sur le bout de ses escarpins au rythme de la musique. J'en conclus qu'elle brûlait d'envie qu'on l'invitât à danser.

---

* Jupon à armature faisant bouffer la robe en arrière

Je lui offris d'être son cavalier. Elle accepta avec le sourire et, à cet instant, je sus que je n'aimerais jamais d'autre femme qu'elle. Je ne voyais plus rien. Je n'entendais plus rien et je me conduisis comme le dernier des balourds, incapable de sortir autre chose que des fadaises auxquelles elle fit semblant de s'intéresser. Je suais à grosses gouttes. J'avais les mains moites. Je marchais sur sa robe. Nous bousculions les autres couples. Elle continuait de sourire en me fixant droit dans les yeux, avec une candeur si désarmante que j'en souhaitais presque que le dernier coup d'archet du violoniste vînt me tirer de cette situation ridicule. Mon supplice acheva enfin.

Elle me remercia. Je proposai d'aller lui chercher une coupe de champagne et je la laissai seule un moment.

Quand je revins, elle était en grande conversation avec Raoul. Elle avait les pommettes rouges et secouait la tête en riant. Sa poitrine se soulevait comme si elle avait de la difficulté à respirer et ses yeux étaient brillants.

À ce spectacle, je sentis monter en moi une bouffée de jalousie qui me fit serrer les poings si fort qu'un des deux verres que je tenais vola en éclats et m'entailla le creux de la main.

Le bruit du cristal brisé attira l'attention d'Annabelle. En me voyant, figé, ma chemise trempée de vin et les doigts ensanglantés, elle prit un air désolé et se précipita vers moi.

— Mon Dieu, vous vous êtes coupé? Montrez-moi.

Et elle sortit de son réticule un petit mouchoir de baptiste avec lequel elle banda ma main.

J'étais de nouveau sous le charme. Pendant qu'elle prenait soin de moi, le corps légèrement penché, je respirais son parfum en suivant du regard la courbe délicate de sa nuque.

Quand elle eut fini de me panser, elle parut chercher quelqu'un dans la foule et me demanda avec une ingénuité désarmante:

— Savez-vous où est passé l'homme qui me tenait compagnie tout à l'heure? C'était votre frère, n'est-ce pas? Il m'a parlé de vous... Il est bizarre.

Le cou tendu, je me mis aussi à scruter la salle dans l'espoir de débusquer Raoul. Je l'aperçus près du buffet. Il m'observait avec un sourire narquois. Je savais ce que signifiait cet imperceptible retroussement des lèvres : il avait une mauvaise idée en tête et c'était à moi qu'il en voulait. Pourquoi ? À cause d'Annabelle, j'en étais sûr. D'instinct, il avait senti à quel point elle me plaisait et il avait décidé de me la ravir, rien que pour essayer ses griffes sur elle.

Du coup, tout ce que Raoul avait fait pour moi fut oublié. Il redevenait ce qu'il avait toujours été : un éternel rival qui me renvoyait, depuis l'enfance, une image dévalorisante de moi-même, celle d'un mal-aimé et d'un perdant. Mais, cette fois, cela ne se passerait pas ainsi. Une rage sourde m'envahit. J'allais effacer ce sourire insolent. Cette fois, c'était moi qui allais le rosser et l'humilier publiquement.

Alors, avant même qu'Annabelle ait pu esquisser le moindre geste pour m'en empêcher, je fendis la foule vers la table chargée de plats et de bouteilles devant laquelle se tenait Raoul.

Un domestique chargé d'un plateau d'amuse-gueule me barra le chemin. Je le heurtai si rudement qu'il s'affala de tout son long en m'entraînant dans sa chute. Grand émoi des convives. L'orchestre s'interrompit. On fit cercle autour de moi.

— Vous n'avez rien ?...

— Il a trop bu, sortez-le...

— Non, il a eu une faiblesse, regardez, il est livide. Écartez-vous... Donnez-lui de l'air !

Le sentiment d'être parfaitement idiot me dégrisa. Quelqu'un me tendit la main pour m'aider à me relever. C'était Raoul. Il triomphait et, pour mieux me le signifier, il me prit par le cou et m'ébouriffa les cheveux d'un geste faussement amical.

— Alors, mon Vincent, toujours aussi empoté. Comme on n'arrive pas à briser les cœurs, on se contente de casser la vaisselle.

C'est à cet instant précis, je pense, que notre rivalité de toujours se métamorphosa en haine véritable, une haine sans merci, comme seuls peuvent la ressentir deux frères ennemis qui se disputent la même femme.

Mais, ce jour-là, je n'étais pas encore vraiment conscient de ce changement radical. Une seule chose importait : m'excuser auprès d'Annabelle.

Hélas, trop accaparée par ses autres préoccupations mondaines, elle demeura inaccessible le reste de la soirée. D'abord, il y eut son oncle, un peu éméché lui aussi, qui la força à chanter des airs d'opérette et des rengaines reprises en chœur par tout le monde. Puis elle dut subir l'assaut de toute une bande de gandins aux moustaches calamistrées qui assiégèrent le sofa où elle avait trouvé refuge. Vingt fois, elle me fit des grimaces complices auxquelles je répondis sans jamais être vraiment sûr que ces appels au secours s'adressaient à moi.

Les deux jours suivants, Raoul fut introuvable. Je posai quelques questions à monsieur Zédé, l'intendant du domaine. Il me répondit qu'on l'avait vu sortir vers minuit et qu'il avait pris le chemin de l'auberge de Baie-Sainte-Claire. Il n'était pas seul.

J'en profitai pour revoir Annabelle. Bras dessus, bras dessous, nous fîmes de longues promenades le long de la rivière Gamache. Elle m'expliquait les projets de son oncle. La chapelle en construction. L'école où elle enseignerait aux enfants des employés des nouvelles scieries.

À certains moments, je ne doutais pas qu'elle fût amoureuse de moi. Le ton ému de sa voix. Cette façon qu'elle avait de nouer ses doigts aux miens quand elle me donnait la main. Sa bouche qui se tendait vers moi quand elle me parlait. Tous ces gestes étaient comme autant d'aveux muets.

Par contre, à d'autres moments, le doute s'installait. Elle s'écartait brusquement, et je lisais dans ses yeux un trouble indéfinissable. Tout en guettant mes réactions, elle se risquait alors à me poser une ou deux questions sur Raoul. Je m'efforçai de lui répondre avec naturel, mais elle voyait bien que je me rembrunissais ou que je devenais carrément agressif. Elle s'excusait. Moi, je me mordais les lèvres de dépit et je m'enfermais dans un silence farouche qui la laissait complètement désemparée.

Même absent, Raoul était toujours entre nous. J'avais la désagréable impression qu'elle pensait sans arrêt à lui en se demandant auquel de nous deux elle accorderait finalement ses faveurs. J'imaginais que, pour elle, Raoul et moi étions comme les deux moitiés d'un même individu qui, en conjuguant leurs qualités et leurs défauts, auraient constitué l'homme idéal qu'elle recherchait.

Toujours est-il que mon attitude fantasque, jointe au fait qu'on me rencontrait partout en compagnie de la jolie nièce du riche propriétaire de l'île, suscita bien des commérages au sein de la petite société choisie qui séjourna au château Menier en ce fameux été de 1906.

Les vieilles douairières chuchotaient sur notre passage. Certaines étouffaient de petits rires ou interrompaient brusquement leur conversation pour nous suivre du regard. On s'étonnait qu'un si beau parti s'affichât ainsi en compagnie d'un rustre tel que moi. J'entendis même quelques remarques désobligeantes : *Une bête sortie du bois, une canaille de la pire espèce... tout comme son frère... digne descendant d'une famille de nobliaux dépenaillés qui, plus d'une fois, a défrayé la chronique à scandales. Son père Hubert, par exemple. Eh bien, ma chère, saviez-vous que... etc., etc.*

Je craignais qu'Annabelle en fût blessée, mais elle se moquait bien des ragots.

À table, faisant fi de l'étiquette, elle s'amusait à déplacer les cartons, chamboulant les places des convives pour pouvoir s'asseoir à côté de moi. Même chose quand son oncle proposait une excursion à la chute Vauréal ou une partie de pêche aux saumons sur la rivière Jupiter. Elle trouvait toujours un moyen pour que nous soyons ensemble. À la première occasion, elle abandonnait les guides pour courir me rejoindre. Nous en profitions alors pour faire des escapades sur la grève. Je lui ramassais des coquillages. Je lui cueillais des bouquets de fleurs sauvages. Je lui récitais du Baudelaire. Sous son ombrelle, elle souriait et me caressait la joue. Je m'efforçais d'être brillant, mais, en vérité, j'étais aussi pathétique qu'un collégien énamouré.

Pourquoi n'avais-je pas le pouvoir de séduction de Raoul? Pour lui, les conquêtes étaient si faciles. Aussi imprévisible qu'insupportable avec les filles, tantôt enjôleur, tantôt odieux et presque grossier, il tournait sans arrêt autour d'elles jusqu'à les étourdir. Puis, au moment le plus inattendu, il attaquait. Elles essayaient de s'enfuir. Elles avaient peur de lui et pourtant, elles le cherchaient des yeux dès qu'il disparaissait.

La beauté du diable.

Déjà à l'adolescence, je n'avais aucune chance. Il les séduisait toutes. Maintenant qu'il était riche à millions, que pouvais-je faire contre lui?

À mon grand désespoir, plus le temps passait, plus je me rendais compte à quel point j'étais vulnérable. Tôt ou tard, Annabelle, comme les autres, céderait à sa fascination. C'était inéluctable.

J'étais aveuglé par la jalousie et, comme il arrive souvent dans ces cas-là, je fis tout pour précipiter ma chute. Je cessai de voir Annabelle. Pire, je favorisai ses rencontres avec Raoul afin de vérifier mes soupçons. J'en vins même à conclure qu'elle se tenait avec moi uniquement pour que je lui parle de mon frère. Elle avait beau me répéter qu'elle se sentait bien avec moi, me demander pourquoi j'avais l'air si tourmenté, je ne la croyais pas. « Elle me ment, me disais-je. Je suis sûr qu'elle le voit en cachette. Pourquoi me joue-t-elle cette sinistre comédie ? »

Bref, je devins si odieux que je fus presque réconforté quand j'eus enfin la preuve apparente de mon infortune.

Cela se passa à la fin de notre séjour sur l'île. J'étais entré sans frapper dans la chambre réservée à Raoul. La pièce était plongée dans l'obscurité.

C'est là que je les surpris dans les bras l'un de l'autre : elle, la tête renversée en arrière, les épaules et la gorge dénudées ; lui, à ce que je devinai, le museau enfoui entre ses deux seins.

En m'apercevant, elle se débattit et voulut lui échapper.

— Lâchez-moi, vous êtes fou !

La tête basse, je bafouillai de pitoyables excuses.

Elle se retourna et me cria d'une voix suppliante :

— Vincent, ce n'est pas ce que tu crois !

Je sortis en claquant la porte.

Le jour suivant, Annabelle ne parut pas à la grande chasse au chevreuil qui devait être le couronnement de la fête. Elle se sentait souffrante. Raoul, au contraire, fut un des premiers à se présenter au rendez-vous, armé de pied en cap.

Pour ma part, piètre tireur, je n'aimais pas la chasse. Elle me rappelait la nuit où mon père avait été tué. C'est donc avec réticence que je me joignis aux autres chasseurs conviés à l'événement.

Comme d'habitude, Menier avait fait les choses de façon à la fois royale et grotesque. Un train spécial nous attendait sur la voie ferrée qui s'enfonçait jusqu'au centre de l'île. À la locomotive à vapeur était accrochés une demi-douzaine de wagons-plateformes sur lesquels les belles dames et les messieurs impotents avaient le loisir de s'asseoir. Sans quitter leur fauteuil, ils pouvaient faire feu sur le gibier à l'aide de fusils montés sur des supports mobiles. Une armée de guides et de rabatteurs avaient été mobilisés. Chaque invité avait reçu en cadeau une arme flambant neuve.

À l'heure dite, Menier en personne, botté et vêtu de rouge, parut au son des cors de chasse et nous harangua du haut d'une des tourelles de son manoir :

— Mes amis ! Je vous souhaite une bonne journée. Ne ménagez pas la poudre, car, comme le dit si bien mon intendant, M. Zédé, il y a sur cette île tellement de cerfs qu'il faudrait tous les fusils du Canada pour en venir à bout. Bonne chasse !

Une demi-heure plus tard, nous débarquâmes en pleine forêt.

Notre hôte n'avait pas menti. Les chevreuils étaient nombreux, sûrement des centaines. Ils broutaient paisiblement un peu partout. Habitués à l'homme et ne craignant nul ennemi, ils s'approchaient sans crainte, avec leurs yeux doux et leurs truffes humides, avant de se remettre à mâchouiller les ramilles des arbres. Quelques-uns se laissaient même caresser et venaient flairer nos poches à la recherche de sucreries.

Évidemment personne n'osait tirer sur eux. Dans des conditions pareilles, les abattre aurait été aussi sportif que d'abattre des vaches dans un pré.

La situation était parfaitement absurde. Puis, comme cela doit se produire au début de n'importe quelle guerre, quelqu'un appuya sur la gâchette de son arme et tua presque à bout portant un grand mâle, étonné.

Je cherchai d'où était parti le coup. C'était Raoul qui avait tiré.

Ce fut le signal du massacre.

En une minute, la fusillade devint générale, produisant un tel vacarme qu'elle déclencha la fuite éperdue de l'ensemble du troupeau de cervidés. Le sol était jonché de cadavres et de bêtes blessées qui bramaient pitoyablement en agitant convulsivement leurs sabots. La salve cessa, mais l'excitation des chasseurs ne diminua pas pour autant. Au contraire, la vue du sang les rendit comme fous, et, par petits groupes, ils se mirent à courir à la poursuite des animaux survivants en canardant de tous bords.

«Bande d'abrutis!» pestai-je à haute voix, sans même penser à ôter mon fusil de mon épaule.

J'étais écœuré et enragé. Enragé contre cette hécatombe stupide. Enragé contre Raoul. Enragé contre Annabelle. Enragé contre moi-même et le monde entier.

Je voulais être seul et je quittai volontairement la chasse pour m'enfoncer dans une tourbière bruissante d'insectes, puis me perdre dans une forêt clairsemée de maigres épinettes noires et de bouleaux couverts de lichens filamenteux flottant au vent.

J'avançais au milieu des aulnes et des ronces qui éraflaient mes guêtres. J'étais en sueur. Je n'étais plus capable de penser à autre chose qu'à Annabelle dans les bras de Raoul. J'avais les nerfs à vif et, à plusieurs reprises, alerté par un craquement, je me retournai vivement, persuadé que quelqu'un me suivait. Du coup, je fis glisser la bretelle de mon fusil et mit mon arme en joue.

Tout à coup, une corneille s'envola devant moi et alla se jucher sur la cime d'un mélèze d'où elle me nargua de ses croassements sinistres. Alors, je ne sais pas pourquoi, toute ma colère se focalisa sur ce misérable volatile. Je tirai sans viser et... le ratai. L'oiseau alla se poser au sommet d'un rocher d'où il me houspilla de plus belle.

Je rechargeai machinalement et poursuivis mon chemin à travers les broussailles. La chaleur était torride. L'air vibrait et brouillait ma vue. Des millions d'insectes faisaient crisser leurs élytres. Ce bruit insupportable me vrillait les tympans.

Soudain, un craquement de branche me fit sursauter.

— Qui va là! hurlai-je en épaulant de nouveau mon fusil.

— Fais pas le fou! dit une voix. C'est moi!

Je reconnus Raoul. Tapi dans l'herbe, il semblait guetter quelque chose.

Il vit mon arme pointée sur lui. Un instant, je crois qu'il eut peur. Il me fixa sans bouger. Puis, comme s'il avait lu dans mes pensées, il esquissa un sourire ironique.

Le doigt sur les lèvres, il me fit signe alors de ne pas faire de bruit et me désigna du menton un boqueteau de trembles.

C'est alors que je l'aperçus: un cerf splendide.

Il était en train de brouter des pousses de sapin. Dès qu'il nous entendit, il tourna la tête et nous dévisagea longuement.

— Ne bouge pas! me souffla Raoul. Je vais l'avoir.

Je vis son index droit presser tout doucement la détente. Mais, juste au moment où le coup allait partir, le grand cerf secoua sa ramure et disparut d'un bond dans les taillis. Raoul poussa un juron de dépit et se précipita à sa poursuite.

Je les suivis en me fiant aux traces laissées dans l'herbe et aux branches cassées.

Dix fois, Raoul pensa avoir rattrapé sa proie. Dix fois, elle lui échappa.

À la fin, on aurait dit un jeu. Chaque fois que Raoul était sur le point d'abandonner, le chevreuil réapparaissait tout à coup, immobilisé dans une attitude de défi, avec le même noble port de tête, le même regard troublant et la même petite touffe de poils blancs sur sa queue qui fouettait l'air.

Fasciné et comme pris d'un sombre pressentiment, je suivais cet étrange manège sans intervenir.

Raoul, lui, était au comble de l'exaspération. Il en oubliait toute prudence, bondissant de rocher en rocher et courant si vite à travers les savanes que parfois il se retrouvait à quatre pattes. On aurait dit un animal. Il flairait le vent et poussait des cris rauques, tout à l'excitation de sa poursuite.

Le soir tombait et le ciel était si rouge que le soleil donnait l'impression de se vider de son sang.

Raoul allait un tel train d'enfer que j'avais beaucoup de difficulté à ne pas perdre sa piste.

J'étais épuisé et j'allais rebrousser chemin quand, tout à coup, je me retrouvai dans un endroit d'une beauté sinistre, presque irréelle. Cela ressemblait à l'entrée d'un canyon taillé dans le calcaire, au fond duquel un torrent avait ouvert de nombreuses crevasses et excavé des grottes où le souffle du vent produisait d'étranges musiques.

J'aperçus alors Raoul et le rejoignis. Toujours sur les traces de son chevreuil fantôme, il se tenait au pied d'un immense amphithéâtre, au sommet duquel jaillissait une chute impressionnante dont le grondement ressemblait à un roulement de tonnerre continu.

Son buck* était bien là, mais il n'était pas seul. Ce que je découvris alors me laissa bouche bée. Des dizaines de chevreuils étaient rassemblés au fond de ce cirque, collés les uns contre les autres, flanc contre flanc, comme si la montagne et ses parois à pic les avaient enfermés dans un immense enclos naturel.

---

* Chevreuil mâle.

Raoul s'embusqua derrière une souche et, à la première détonation, je sursautai, comme si c'était sur moi qu'il avait tiré. Un premier cerf s'éffondra.

Je le vis recharger et viser de nouveau. Ses gestes étaient rapides et efficaces : tirer... éjecter les douilles vides... réarmer... tirer... On eût dit que ce travail de mort lui procurait une jouissance affreuse qui lui déformait les traits. L'œil fou, la crinière hérissée, l'écume à la bouche, il ressemblait à... notre père.

Un berger des Pyrénées m'avait raconté, un jour, qu'il avait vu un ours s'attaquer à ses brebis. L'animal, pris d'une frénésie meurtrière avait égorgé tous les moutons, jusqu'au dernier agneau qui était à peine sorti du ventre de sa mère. Raoul agissait de la même manière. Il exécuta, une à une, toutes ces pauvres bêtes, sans épargner les biches et les faons. Ce fut un abominable carnage et – chose étrange – pas une seule de ces innocentes créatures n'offrit la moindre résistance ni ne manifesta la moindre volonté de s'enfuir. J'avais l'impression qu'elles étaient les acteurs sacrifiés d'un drame terrifiant dont j'ignorais l'issue. Comme si le sacrifice de chacune d'elles était nécessaire pour que la coupe déborde et attire sur nous un prodigieux châtiment.

Une voix, au fond de moi, me répétait : « Bon Dieu, il est devenu dément. Il faut que tu fasses cesser cette boucherie ! »

Je suppliai Raoul d'arrêter. Il éclata d'un rire diabolique et reprit de plus belle son abattage systématique.

Alors, pleurant de rage impuissante, je le mis en joue en lui criant que j'allai l'abattre s'il ne m'obéissait pas.

Il se jeta sur moi et me frappa violemment d'un coup de crosse qui me fit perdre connaissance.

Lorsque j'évoque aujourd'hui la fin de cette fameuse partie de chasse, j'ai toujours de la difficulté à croire que tout ce soit passé comme j'en ai le souvenir. Un souvenir aussi lancinant qu'un remords et aussi douloureux qu'une plaie à vif refusant de cicatriser.

Quand je revins à moi, il faisait nuit noire.

La chaleur était suffocante. Soudain, ce fut comme si le ciel eût crevé au-dessus de ma tête. Une explosion assourdissante. Une lueur aveuglante. Puis une trombe d'eau qui me réveilla tout à fait.

Mille images se bousculaient dans mon cerveau. Castelbouc, mon père, le petit berger, menottes aux poignets, la malédiction des Mallemort, cette violence bestiale qui bouillonnait dans notre sang...

D'instinct, je sentis qu'il fallait quitter cet endroit au plus vite. L'orage redoubla. Je n'avais jamais rien vu de tel. On aurait dit que toutes les forces du chaos s'étaient concentrées au-dessus de cette vallée maudite. La foudre illuminait les lieux avec une telle intensité qu'on y voyait comme en plein jour. C'est alors qu'une pensée me traversa l'esprit, une pensée d'autant plus effrayante que j'avais toujours refusé jusque-là, de voir, dans les malheurs ayant accablé ma famille, autre chose qu'un enchaînement de malheurs, certes extraordinaires, mais au bout du compte, rationnellement explicables.

Cette pensée effrayante, la voici : et si, par hasard, nous étions, Raoul et moi, directement responsables de ce déchaînement cosmique ? Et si cette tornade épouvantable qui tournoyait autour de nos têtes était le signe que nous avions offensé quelque puissance supérieure ? Lui, en se complaisant dans le meurtre gratuit de ces animaux, et moi, en me montrant trop lâche pour l'empêcher de commettre tous ces crimes !

Alors, juste à cet instant, une formidable décharge électrique fendit en deux l'arbre sous lequel je m'étais imprudemment caché et, à la fulgurante lueur du feu céleste, JE LE VIS.

C'était le cerf que nous avions traqué une partie de l'après-midi. Le seul survivant de la harde.

Aussitôt, les ténèbres le dérobèrent à ma vue. Une seconde plus tard, un nouveau jaillissement de lumière sépulcrale, accompagné d'un roulement de tonnerre qui fit trembler le sol, le fit surgir de nouveau à quelques pas de moi. Sa taille me parut gigantesque. Ses yeux flamboyaient. Étourdi par la déflagration, j'entendis un concert de voix qui résonnaient dans ma tête et, soudain, j'eus l'impression que le grand cerf me parlait.

Il avait ma propre voix et disait :

« Maudit soit ton père ! Maudit soit ton frère ! Maudit sois-tu, également ! Vous n'êtes pas des hommes ! Vous êtes des bêtes pires que toutes les bêtes ! »

Était-ce l'effet du sentiment de culpabilité qui m'habitait ? S'agissait-il d'une simple hallucination ? Peu importe ! La sensation éprouvée fut si profonde que je me crus réellement jugé et condamné pour l'éternité.

Il y eut à cet instant un autre éclair et, l'espace d'une fraction de seconde, dans une vision fantomatique, je crus apercevoir Raoul. Un rictus méchant lui tordait la bouche. Puis il y eut un autre éclair. Je le vis épauler son fusil et ajuster calmement le grand cerf.

— Non, non ! hurlai-je, ne fais pas ça !

Tout se passa ensuite très vite. Il y eut un dernier coup de feu. Des éclaboussures de sang... Le mien ? Le sien ?

Et le grand cerf, où était-il passé ?

J'étais seul.

Secoué de sanglots, je restai là, debout, les pieds dans la boue, ne sachant trop quoi faire. J'avais mon fusil à la main. Le canon était encore chaud... Raoul était à mes pieds, inerte.

Stupidement, je répétai sans arrêt :

— Je l'ai tué ! Je l'ai tué !

Le corps qui gisait dans la boue remua légèrement. Saisi de panique, je pris mes jambes à mon cou.

Dans l'immédiat, je ne songeai qu'à une seule chose : FUIR ! Fuir à l'épouvante, comme l'assassin qui fuit les lieux de son forfait, comme Caïn, hagard, éperdu, cherchant à échapper à l'œil impitoyable de sa conscience. Fuir, tomber, se redresser, fuir de nouveau, courir à en perdre haleine, rouler au fond des ravines, ramper dans la fange, le visage et les mains écorchés, les vêtements en lambeaux. Et puis, à bout de force, errer dans la forêt, errer dans les dunes, marcher des milles et des milles au bord des falaises avec l'envie de se jeter dans le vide, marcher sur les grèves, les pieds mouillés par la marée montante, remplir ses poches de galets et entrer dans la mer pour s'y noyer, pour oublier. Et puis... Et puis, plus rien. Le trou noir... Se réveiller enfin dans un lit aux draps blancs et penser qu'on a rêvé, jusqu'à ce qu'on vous dise que c'est un miracle que vous soyez encore en vie. Qu'on vous a cherché trois jours durant avant de vous retrouver, inanimé, dans une baie déserte, avec déjà des mouettes qui vous picoraient les yeux en vous prenant pour une charogne.

Et puis, entendre Annabelle pleurer à côté de votre lit en appelant : «Vincent ! Vincent ! Réponds-moi !» Et puis, fermer les paupières. Retenir votre souffle en attendant la mort, la mort qui ne vient pas, la mort qui ne veut pas de vous...

Évacué vers un hôpital de Québec, je ne revis pas Annabelle. Ni Raoul. Un policier vint à mon chevet. Il gribouilla quelques notes sur son carnet en me posant de vagues questions. Il repartit apparemment satisfait par mes réponses. Quoiqu'au dernier moment, en quittant la salle, il se retourna pour me demander en tire-bouchonnant sa moustache :

— Drôle de bonhomme, votre frère. Une force de la nature, en tout cas. Parce qu'avec tout le plomb qu'il a reçu à bout portant, il aurait dû y rester. Vous savez, on n'a rien pu tirer de lui à propos de cet «accident» de chasse. Il faut dire qu'il a beaucoup d'ennemis. Mes hommes ont perquisitionné dans ses bureaux de Québec. Un de mes inspecteurs y a trouvé un billet sur lequel était griffonnée cette phrase : «J'aurai sa peau!» Vous savez de qui il voulait parler? De celui qui lui a tiré dessus, sans doute... Vous ne voyez pas? Eh bien, n'en parlons plus. Soignez-vous bien, cher monsieur!

Ma convalescence fut longue. Dans les premières semaines, ma pensée fut de mettre fin à mes jours. L'idée que j'avais pu vouloir assassiner mon frère m'était insupportable. J'étais jaloux, voilà la vraie raison qui m'avait poussé à poser ce geste odieux. Jaloux à en crever. Je ne valais pas mieux que lui. J'étais un monstre. Comme lui.

Plus tard, un autre projet commença à mûrir lentement, résultat de la fièvre qui me tourmentait ou de ma propension naturelle à passer d'une période de dépression extrême à un état d'exaltation tout aussi excessif. Je devais absolument trouver un moyen d'expier ma faute afin de prouver au monde, et surtout de me prouver à moi-même, que j'étais différent, que je pouvais triompher de cette emprise maléfique qui semblait peser sur ma famille depuis la nuit des temps.

On m'envoya finalement dans une maison de repos, au bord du fleuve. Des religieuses à cornette me soignèrent. Pour me désennuyer, une vieille sœur avait pris l'habitude de m'apporter des bouquins empruntés à la bibliothèque de l'institution. Des ouvrages de piété d'une désarmante ingénuité, destinés sans doute à catéchiser les enfants africains ou indochinois. C'est pourtant dans l'un d'eux que j'eus une sorte une révélation et trouvai la voie du salut.

Il s'agissait d'une hagiographie populaire que j'avais d'abord feuilletée distraitement avant de m'arrêter sur la vie d'un saint du Moyen Âge dont le destin présentait certaines similitudes avec le mien. Il s'appelait Julien l'Hospitalier. Chasseur impitoyable et grand seigneur, il défiait Dieu et les hommes. Il avait eu, au cours d'une chasse, une vision presque semblable à la mienne, avant de se faire ermite. Un animal fantastique, un cerf gigantesque, lui était apparu et l'avait voué à la damnation éternelle après lui avoir prédit qu'il tuerait ses parents. Effrayé, il avait alors tout laissé : femme, richesse et gloire. Il était devenu un simple batelier, achevant sa vie au service des plus misérables, n'hésitant pas à offrir l'hospitalité aux lépreux avec qui il partageait sa couche.

Aider les autres, payer mes crimes en m'inventant mon propre calvaire ! Au cours de ces longs mois, l'idée fit son chemin en moi, sans même que je m'en rendisse vraiment compte. J'aurais pu devenir infirmier, père Blanc ou officier de l'Armée du salut. Je lus dans le journal qu'on cherchait un gardien de phare...

Trois semaines plus tard, je débarquai dans l'Île-aux-Morts.

Je me souviens encore de la dernière phrase du gentleman anglais du ministère de la Marine au moment où il m'offrit le poste. En me serrant la main, il s'exclama, la gorge nouée par l'émotion :

— *This is a damned job which you accepted. God keep you, my friend**!

Il ne pouvait pas me promettre de plus grand bonheur !

---

* C'est un maudit boulot que vous acceptez ! Dieu vous garde, mon ami !

6

Nuit de terreur
sur la banquise

10 mars 1912

Ce matin, les premiers troupeaux de phoques sont arrivés. J'ai repéré quatre ou cinq bateaux qui stationnent au large. Ils viennent des Îles-de-la-Madeleine, de Terre-Neuve et d'aussi loin que la Norvège. Dans quelques jours, les champs de glace seront envahis par des canots et des chasseurs armés de gourdins. Raoul sera peut-être parmi eux.

La plupart des chasseurs sont de braves gens. Ils ne tuent pas par méchanceté. Ils sont pauvres. L'huile et les peaux de loup-marin leur rapportent à peine de quoi nourrir leur marmaille. Mais parmi eux, je connais aussi quelques types qui sont de sombres brutes. Ils prennent plaisir à assommer les blanchons et ils les dépouillent avec une habileté diabolique. En moins de trente secondes, ils leur fracassent le crâne, les éventrent et les saignent à mort d'un coup de couteau en plein cœur avant d'en détacher la fourrure et le lard. Je me souviens de l'un d'eux, en particulier. Un Écossais du Cap-Breton, un grand gaillard qui pouvait mettre à mort au moins cent de ces pauvres bêtes en une heure. Pour que la chasse soit bonne, disait-il, il fallait recueillir le sang chaud du premier bébé phoque tué et en boire une gorgée. Il n'y avait pas meilleur remontant. Comme les autres, il se défendait en prétendant qu'il faisait ce métier juste pour vivre.

Rien que de l'écouter raconter ses exploits me donnait la nausée.

J'entretiens de bonnes relations avec les chasseurs. Les vieux respectent mon aversion pour cette tuerie barbare qui vient ensanglanter, chaque printemps, les banquises immaculées entourant mon phare. Ils ne me jugent pas. Ils se doutent que si j'ai choisi de m'exiler sur ce rocher dénudé, c'est que j'ai quelque chose à me faire pardonner. Ils ont compris que je ne suis ni un lâche ni un fou, et qu'en cas de coup dur ils peuvent compter sur mon aide. Qu'un navire reste coincé dans les glaces, qu'une escouade se perde dans la tempête ou soit emportée à la dérive sur une plaque de glace, l'Île-aux-Morts est pour eux l'ultime refuge et la lumière de mon feu puissant, leur seul salut dans la nuit glacée.

La chasse bat son plein. Cette année, la mouvée* s'est échouée si près de l'île que je peux voir les têtes cagoulées de noir des phoques femelles qui émergent des trous d'eau et se hissent sur la glace pour donner la tétée à leurs petits. Ils sont des centaines. L'air retentit de leurs clabaudements qui ressemblent à une sorte de chant triste, mêlant les gémissements et les piaulements des nouveau-nés aux abois des mères.

Annabelle est venue, elle aussi, assister à ce fabuleux spectacle. Par contre, dès qu'elle a vu arriver les chasseurs, elle a resserré le col de son manteau et m'a demandé de la raccompagner à la maison. Quand je suis revenu à la pointe nord de l'île, les glaces, pleines de vie il y a peu, n'étaient plus qu'un

---

* Nom donné aux troupeaux de phoques descendus de l'Arctique pour mettre bas sur les glaces flottantes du golfe Saint-Laurent.

lieu sinistre souillé de rouge : le rouge des carcasses abandonnées.

Cette nuit le vent a tourné. Il souffle maintenant sud-ouest. Je n'aime pas ça. Les glaces vont être poussées vers le large. Elles vont se fragmenter et emporter, comme des radeaux, ceux qui s'y sont imprudemment aventurés. Le vent souffle en rafales. Force 10*. Avec la poudrerie, je plains les hommes que les navires n'auront pas eu le temps de récupérer et qui devront passer la nuit à la belle étoile.

J'avais raison. Il tempête depuis trois jours. Sur la côte occidentale de l'île, toute la glace a été emportée, et l'océan peut se déchaîner librement en soulevant des vagues énormes.

Le thermomètre marque quinze degrés Farenheit**. Je suis très inquiet. Par cette température, l'eau de mer se transforme instantanément en verglas. Les vitres de la

---

* Sur l'échelle de Beaufort, un vent de force 10 correspond à un vent de 89 à 102 km/h ou de 48 à 55 nœuds.
** Cette température équivaut à -10 ˚C.

maison sont déjà couvertes d'une pellicule de glace qui les rend opaques. À chaque vague qui déferle sur les rochers, à chaque rafale de bruine projetée par le vent, cette croûte de glace épaissit et emprisonne tout dans une gangue de plus en plus lourde.

La situation empire d'heure en heure. J'ai passé la journée à étayer la charpente des bâtiments et à tendre des filins pour empêcher que les toitures de tôle ne soient arrachées ou ne s'écroulent sous l'excédent de poids. La couche de glace a maintenant pas moins de huit pouces d'épaisseur. Elle recouvre l'île entière d'une sorte de chape de cristal qui efface les formes et dérobe tout point d'appui pour garder son équilibre. Gare à la glissade! À l'aide d'une hache, j'ai quand même réussi à tailler un chemin jusqu'au phare.

Annabelle m'a donné un coup de main pour installer un câble qui servira de main courante entre la tour et la maison. Mais, une heure après, il a fallu que je le déglace à coups de marteau. Dans de telles conditions, il n'y a qu'une chose à faire: rentrer, se tenir au chaud et attendre.

Le poêle bien bourré pour que la cheminée ne se bouche pas, je me suis couché. Annabelle est venue me rejoindre un peu plus tard. Elle s'est collée frileusement contre moi et a posé sa tête sur mon épaule. J'ai eu du mal à trouver le sommeil. Je ne pouvais m'empêcher d'écouter le vent qui hurlait et cognait sans arrêt à la porte, comme une bête furieuse.

À l'aube, ce sont justement des coups répétés à la porte d'entrée qui m'ont tiré du lit.

— Monsieur de Mallemort, ouvrez ! Ouvrez vite, pour l'amour de Dieu !

C'était le capitaine de la *Marie-Morgane*, un phoquier de Cap-aux- Meules. J'ai eu une misère de tous les diables à ouvrir. Le panneau d'acier et le chambranle étaient soudés ensemble par la glace.

Quand je suis enfin parvenu à décoincer cette maudite porte, le souffle formidable de la tempête me l'a arrachée des mains. Mon visiteur et moi, nous nous sommes mis à deux pour la refermer.

Le capitaine paraissait bouleversé. Il m'a expliqué que, pour empêcher son navire d'être écrasé, ses hommes et lui n'avaient eu d'autre choix que de l'échouer volontairement en le hissant sur la banquise à l'aide de leviers et de garcettes*. Du coup, il n'avait pu ramasser sa dernière équipe qui, la veille, s'était perdue dans la tempête. Il avait besoin d'explosifs pour dégager son bateau et de mon aide pour retrouver les membres égarés de son équipage.

Nous avons examiné les cartes afin d'évaluer la dérive des glaces en fonction du vent et de la force de la marée. Les malheureux devaient effectivement être dans les parages du Rocher-aux-Oiseaux ou de l'île Brion. J'ai demandé au capitaine de me laisser une petite heure pour me préparer. Je me suis habillé chaudement, puis j'ai chargé équipement et provisions sur une traîne sauvage.

Annabelle m'a serré très fort dans ses bras. Au bout d'un moment, j'ai tenté de me dégager. Comme elle ne semblait pas vouloir relâcher son étreinte, je lui ai chuchoté à l'oreille :

— Tu n'as pas à t'en faire. Le vent s'est calmé. Je serai de retour avant la nuit.

L'équipe de sauvetage comprenait, outre le capitaine et moi-même, cinq ou six matelots et un gros chien. Comme je m'étonnais de la présence de cet animal, un des marins m'a répondu :

— Les chiens sentent toujours de quel côté se trouve la terre ferme. Quand on se perd, il n'y a qu'à les suivre.

Comme il arrive souvent au bord de la mer, où les conditions météorologiques sont capricieuses, le temps s'était remis au beau bien que le mercure ait encore baissé.

La tempête avait laissé une épaisse couche de neige croûteuse dans laquelle nous enfoncions jusqu'aux genoux. Dès le début, j'ai eu un mauvais pressentiment. Je ne sais pas trop à quoi cela tenait. Le soleil trop blanc. Le froid trop mordant. Les craquements inquiétants de la glace. L'attitude du chien qui aboyait sans arrêt derrière moi comme s'il sentait la présence de quelque ennemi invisible.

Le reste de la matinée, tantôt à pied, tantôt à bord du doris avec lequel les hommes de la *Marie-Morgane* avaient abordé mon île, nous avons fouillé les glaces dérivant dans le golfe. Quête épuisante et périlleuse, car la banquise travaillée à la fois par la poussée formidable des eaux du fleuve Saint-Laurent et l'assaut tout aussi irrésistible de la marée montante, éclatait en une multitude de blocs de glace. Labyrinthe mouvant dont la configuration se transformait à chaque instant. Nul point fixe pour s'orienter, nul endroit vraiment sûr pour se reposer.

Mes compagnons avaient plus que moi l'expérience de cet univers chaotique aux imprévisibles dangers. D'instinct, ils évitaient les plaques de glace trop minces ou les flaques de mâchis* dans lesquelles on enfonce comme dans des sables mouvants. Tel n'était pas mon cas. Moins habile, à deux reprises au moins, j'étais tombé dans ces pièges de glaces pourries. Mes bottes s'étaient remplies d'eau. J'étais exténué et commençais à regretter de m'être laissé entraîner dans cette aventure.

Nous avons escaladé un énorme bouscueil – c'est ainsi qu'on appelle les escarpements formés par les banquises qui se chevauchent – et, juste de l'autre côté, nous avons découvert plusieurs carcasses de jeunes phoques encore tièdes.

Rassuré, le capitaine a dit en bourrant sa pipe :

— Mes gars ne doivent plus être loin !

---

* Sorte de glace broyée et instable.

La vue du charnier ne semblait troubler personne. Moi, je ne pouvais détacher les yeux de tous ces cadavres, de ces morceaux de chair qui m'entouraient : dépouilles sanguinolentes de blanchons écorchés, bouts de placenta et même de phoques mort-nés que les oiseaux charognards avaient commencé à déchiqueter à coups de bec.

J'avais l'impression de vivre un cauchemar. Saisi de vertige, je dus m'arrêter pour ne pas m'effondrer. La corde de la traîne me sciait l'épaule. J'avais horriblement soif, et mes yeux, fatigués par la blancheur implacable du paysage, me faisaient si mal que je devais mettre ma main libre en visière pour les protéger.

— Faites comme nous ! m'a conseillé le capitaine.

À ces mots, il s'est accroupi devant une flaque de sang encore poisseux pour s'en barbouiller le visage.

— *Watch out the snowblindness** ! a ajouté à son tour un des marins qui venait,

---

* La cécité ou l'ophtalmie des neiges. Forme de trouble visuel causé par une trop forte intensité lumineuse. Avant l'invention des lunettes de soleil, on se frottait les yeux avec du kérosène mêlé à du noir de fumée ou, du sang d'animal.

lui aussi, de se livrer à ce rituel barbare dont je ne comprenais pas le sens.

J'ai secoué la tête en frémissant d'horreur.

Le capitaine a haussé les épaules, et nous avons repris nos recherches. Nous avons atteint une vaste étendue de banquises plus montueuses et plus compactes qui nous a forcés à laisser sur place la lourde chaloupe qui, jusque-là, nous servait à franchir les chenaux entre chaque banc de glace.

Notre progression devenait de plus en plus pénible. Quand il ne fallait pas escalader une crête aux arêtes coupantes, il fallait traverser de fragiles ponts de neige ou des zones périlleuses où la glace était si mince qu'elle se fissurait sous nos bottes.

Soudain, le matelot qui marchait devant moi a poussé un cri. J'ai entendu un craquement sinistre. Il a disparu dans l'eau glacée. Au bout de quelques secondes, il a émergé, cherchant désespérément à s'accrocher au bord et à se hisser hors du trou, mais, sous son poids, la surface se brisait comme du verre.

Le capitaine a rampé vers lui et lui a tendu le manche de son crochet à glace. Après un ou deux essais infructueux, il a réussi à le tirer jusqu'à un endroit où la croûte était assez solide pour les supporter tous les deux.

Sans perdre de temps, le capitaine a donné ses ordres :

— Il faut le déshabiller tout de suite, sinon il va geler raide, ça sera pas long !

Il avait raison. Le malheureux avait déjà les lèvres violettes. Il tremblait violemment dans son manteau de poils de phoque qui, en gelant, était en train de se transformer en cuirasse rigide.

Obéissant à leur commandant, deux hommes lui ont retiré tous ses vêtements. Puis ils lui ont appliqué de violentes claques sur tout le corps pour que son sang se remette à circuler.

Témoin impuissant de cette scène, j'ai proposé d'allumer un feu sur une plaque de tôle.

— Non ! a tranché le capitaine. C'est inutile. Tordez plutôt son linge et videz ses bottes. On les lui remettra, humides. C'est la seule chose à faire. Il se réchauffera tout seul.

Effectivement, au bout de trente minutes, l'homme a semblé reprendre des couleurs. Il a cessé de bredouiller des bouts de phrases incohérentes et, aidé d'un camarade, il s'est remis à marcher.

Ce n'était que le premier incident d'une équipée qui allait vite tourner à la tragédie.

C'est le chien du capitaine qui, en fin d'après-midi, a découvert les chasseurs perdus. Le spectacle qui nous attendait nous a pétrifiés d'horreur.

En partie recouverts de neige, les malheureux gisaient recroquevillés à l'abri d'un empilement de glaces. Le capitaine a touché l'épaule de l'un d'eux qui semblait dormir assis, enveloppé de peaux fraîches*. Il était mort. Changés en statues de glace, ils étaient tous morts dans la position où le froid les avait saisis. Ils avaient le visage bouffi et noirci par les engelures, les yeux exorbités et la bouche ouverte. On aurait dit qu'ils avaient eu, avant de mourir, une vision terrifiante.

— Seigneur ! Que s'est-il passé ?

Le marin, à côté de moi, a voulu dégager le corps d'un jeune chasseur. Il était soudé à la glace et ni pic ni couteau ne pouvaient le libérer. Dans une dernière tentative, le matelot a tiré de toutes ses forces sur le bras

---

* Peaux prélevées depuis peu et non dégraissées.

du mort. Le membre s'est brisé net, telle une branche morte.

À genoux dans la neige, j'ai commencé à creuser autour d'un autre corps. Couché sur le ventre, il semblait avoir saigné abondamment. Il tenait encore son gourdin à la main et, visiblement, il s'était défendu farouchement avant de succomber. Contre qui?

Le chien, qui n'avait pas cessé d'aller et venir d'un cadavre à un autre, comme s'il suivait une piste, s'est mis à aboyer, le poil hérissé. J'ai voulu le chasser. Il est revenu, plus enragé que jamais, au point où l'équipe de sauvetage au grand complet est venue voir ce qui se passait.

Un des matelots m'a aidé à retourner la dépouille que j'avais réussi à libérer de sa gangue de glace. Tous les hommes qui faisaient cercle autour de moi se sont détournés avec dégoût.

— Maudit! Il n'a même plus de visage! s'est écrié le capitaine.

Cette macabre découverte, en plus de semer la consternation, a eu pour effet immédiat de provoquer un mouvement de panique. À l'exception du capitaine, les marins étaient des âmes simples qui virent aussitôt, dans cette sauvage mutilation, un mauvais présage. Tout en se recueillant devant les corps de ses compagnons morts, le plus vieux du groupe me raconta que de telles choses étaient arrivées, autrefois. L'odeur du sang de milliers de phoques assassinés attirait, paraît-il, les monstres des abysses. Il se pouvait aussi que les chasseurs aient encouru la colère du roi des phoques : une créature gigantesque, un monstre qui pouvait fracasser un navire d'un seul coup de queue. Cela arrivait quand, par mégarde, parmi les loups-marins abattus, on avait assommé la femelle du grand phoque ou tué son petit.

Cette explication naïve m'a fait sourire. Cependant, je ne pouvais m'empêcher de penser à une autre hypothèse qui, elle, me remplissait d'effroi.

Et si le responsable de ce carnage n'était nul autre que...

Le capitaine, à ce moment-là, m'a proposé de réciter quelques prières, puis il a rabattu sur sa tête son capuchon fourré et rangé sa Bible dans une des poches de son parka.

— Allez, on ne peut plus rien pour eux. Dieu ait pitié de leur âme ! Nous rentrons ! Il ne faut pas traîner si on ne veut pas être surpris par la nuit.

Nous avons donc fait demi-tour. L'île n'était qu'à une dizaine de milles et, par moments, nous apercevions même le sommet du phare. Par conséquent, je ne comprenais pas la précipitation du capitaine.

Ce n'est qu'au bout d'une heure de marche épuisante que j'ai compris notre situation. À l'horizon, les contours de l'île n'avaient pas changé d'une miette, et la tour semblait exactement à la même distance, comme si nous n'avions pas bougé.

— Ma foi, plaisantais-je, j'ai l'impression que nous faisons du surplace.

Le capitaine a bougonné :

— En plein ça. C'est à cause de la foutue marée. Nous marchons à contre-courant. Le pack, lui, se déplace sous nos pieds, en sens inverse, si bien qu'on n'avance pas. Possible même que nous reculions. En plus, on ne retrouve plus le maudit canot !

J'ai replacé la bricole* du traîneau sur mon épaule et, pas mal découragé, je me suis remis à tirer. Le ciel était toujours d'une pureté de cristal et l'air était si glacé que nous

---

* Courroie.

devions nous bâillonner avec nos foulards de laine pour pouvoir respirer sans nous brûler les poumons. Le vent, par moments, nous fouettait le visage et, tels des éclats de verre, les millions de cristaux de glace qu'il soulevait nous lacéraient la peau. Les yeux me piquaient jusqu'au fond des orbites. Mes lèvres douloureuses étaient toutes crevassées et mes mâchoires, engourdies.

Déjà assez bas sur l'horizon, le soleil m'éblouissait et l'éclat de sa lumière sur la neige m'était insupportable. Dans cet univers d'un blanc implacable, chaque amoncellement de glace brille de mille feux, comme taillé dans le diamant le plus étincelant. La luminosité de toutes ces surfaces nues est si pure, si intense, si implacable, que le paysage entier se met à danser.

J'avais la sensation qu'on m'enfonçait des aiguilles dans les yeux et, à travers mes larmes, je voyais des constellations de points brillants qui se muaient en taches jaunâtres.

À plusieurs reprises, j'ai été forcé de garder les paupières closes afin de chasser ce mirage importun. Quand je les ai rouvertes, j'ai eu l'impression que tout était devenu flou et qu'un voile noir se refermait devant moi. Puis, ce fut la nuit totale.

J'étais aveugle.

J'ai hurlé :

— Capitaine ! Capitaine ! Je ne vois plus rien.

J'ai senti alors une main sur mon épaule.

— Je vous l'avais bien dit. Trop de lumière. Vous auriez dû faire attention.

— Et c'est grave ? Est-ce que je vais rester...?

— Non, quelques heures tout au plus. Au pire, deux jours. On va vous bander les yeux pour qu'ils se reposent et puis ça va s'arranger. Ne vous en faites pas !

J'ai entendu ensuite le capitaine siffler et appeler son chien. L'animal était réticent. Il a fini par obéir à son maître et j'ai senti son museau contre ma jambe.

— Tenez-le par le collier, monsieur Vincent, il vous servira de guide. C'est une bête intelligente.

Ce qui s'est passé ensuite, je ne peux que le reconstituer de mémoire à partir des informations incomplètes et forcément trompeuses que j'ai recueillies en me fiant à ce que j'ai pu enregistrer sans le secours de mes pauvres yeux.

D'abord, la voix du capitaine, teintée d'angoisse, qui a lancé à la ronde :

— Bon, il est trop tard. La nuit tombe déjà. On est mieux de bivouaquer ici.

J'ai en mémoire la chaleur d'un feu allumé, la senteur de la fumée de tabac, le claquement sec de plusieurs coups de fusil.

J'ai rejeté la peau de carriole* qui me servait de couverture et j'ai demandé en cherchant quelqu'un à tâtons :

— Que se passe-t-il ? Pour l'amour de Dieu, dites-moi ce qui se passe ?

Et puis, j'ai senti une odeur un peu fade. L'odeur du sang que j'ai reconnue.

J'ai supplié :

— Répondez-moi ! Où êtes-vous ?

Une voix rassurante m'a répondu au loin :

— Ne vous inquiétez pas, monsieur Vincent. On a juste tiré quelques jeunes cœurs**. On a fait un peu de feu avec les planches de votre traîne et des copeaux qu'on a gossés sur les gourdins. On devrait aussi pouvoir se réchauffer un peu en brûlant de la graisse de loup-marin.

---

* Fourrure d'ours ou de buffalo utilisée pour protéger les voyageurs à bord des voitures d'hiver (*sleigh* ou berlot).
** Les jeunes cœurs ou *beaters* sont de jeunes phoques vieux d'un mois, au pelage gris argenté taché de noir.

Nous avons mangé ensuite des galettes de mélasse, du foie de phoque cru et de la viande filandreuse qui goûtait un peu le veau. Un bon samaritain m'a tendu une tasse de thé brûlant et une bouteille, au goulot de laquelle j'ai bu. C'était du whisky qui m'a incendié le palais. Je me rappelle aussi le froid vif qui m'insensibilisait peu à peu les pieds et les doigts. Il devait faire nuit. Le chien grondait sourdement à mes côtés. Quelqu'un m'a recouvert de lourdes peaux non dégraissées qui m'ont réchauffé un peu et, la même main secourable a glissé sous ma nuque une sorte d'oreiller très doux qui, tout à coup, s'est mis à bouger.

— C'est un tout jeune loup-marin vivant, a dit la voix familière du capitaine. Il n'y a rien de mieux pour vous tenir la tête au chaud.

Par la suite, je n'ai plus rien entendu. Les voix se sont tues. J'ai sombré dans un état de torpeur contre lequel j'ai résisté de toutes mes forces, persuadé que, si je m'endormais vraiment, je risquais de ne plus me réveiller.

Il faisait en effet de plus en plus froid. Je savais qu'à ces températures extrêmes les facultés mentales s'affaiblissent tout comme le corps perd peu à peu son énergie. La *mort blanche*, comme on l'appelle, est, à ce qu'on dit, la plus douce qui soit. Elle se fait tentatrice et vous murmure comme dans un rêve de cesser de résister et de vous abandonner à une sorte de quiétude fatale. Je m'efforçais donc par tous les moyens de secouer cet état de somnolence mortelle qui me clouait au sol et qui engourdissait jusqu'aux battements de mon cœur. Régulièrement, je sortais ma montre de gousset et, du bout des doigts, je tentais de deviner l'heure. Je pensais à Annabelle que j'avais abandonnée, seule, dans la maison du phare. Elle devait être morte d'inquiétude.

Vers une heure du matin, j'ai quand même fini par m'endormir ou plutôt, devrais-je dire, j'ai basculé dans le sommeil comme dans un gouffre sans fond.

À l'aube, ce furent des cris – bien réels ceux-là – qui me réveillèrent en sursaut. Des cris de terreur comme je n'en avais jamais entendu et des grognements de bêtes féroces accompagnés de claquements de dents et de bruits de lutte.

J'ai cherché le chien. Il n'était plus là. J'ai appelé le capitaine. Il ne m'a pas répondu. Les autres non plus.

Que se passait-il ? Qui nous attaquait ?

J'avais à la ceinture un couteau de chasse. Je l'ai sorti de sa gaine et j'en ai donné de grands coups au hasard, à droite et à gauche.

Sans résultat.

Je sentais pourtant que la menace était là, toute proche. Je sentais son souffle. Je sentais son odeur fauve.

Un ours blanc? Un loup? C'était peu probable. Peut-être un de ces molosses comme les Norvégiens en ont parfois à bord de leurs bateaux? Non, c'était autre chose, je le savais. C'était le même monstre à visage humain que j'avais coudoyé pendant tant d'années. La bête immonde que je devais fatalement affronter un jour ou l'autre dans un combat mortel.

À chaque instant, je m'attendais à ce que la créature d'enfer me saute à la gorge. Je m'efforçais de deviner ses déplacements. Elle tournait autour de moi, comme si elle m'observait.

De nouveau, au hasard, j'ai sabré l'air de mon arme en traçant une croix. Cette fois, j'ai senti la lame entamer la chair. La Bête a poussé un hurlement de douleur. Je l'avais probablement blessée.

J'ai hurlé:

— Qui est là? Répondez!

Soudain, une masse énorme m'a renversé. J'ai serré de la main gauche le cou de la bête et, de l'autre main, j'ai lui ai plongé à deux reprises mon couteau dans la poitrine. Le monstre est alors devenu comme fou de rage. J'ai senti l'étau de ses crocs se refermer sur mon bras. Ses griffes ont labouré mes épaules.

À un moment, j'ai entendu également des aboiements mêlés aux feulements de mon agresseur. Je pense que c'était le chien du capitaine, venu à mon secours. Il y a eu des bruits de lutte, des coups de mâchoires, des craquements d'os et un hurlement de mort.

Le monstre s'est de nouveau jeté sur moi. Toujours à l'aveuglette, je l'ai saisi à pleine fourrure et, d'un coup de couteau, je lui ai tranché un morceau de cartilage poilu. Une oreille !

Mon trophée au poing, je suis resté là, essayant de reprendre mon souffle en attendant l'assaut final.

Mais, à ses halètements, j'ai compris que la bête était, elle aussi, à bout de force.

J'ai arraché mon bandeau. Des formes floues dansaient devant moi. En clignant des yeux, il m'a semblé apercevoir une silhouette trapue qui s'éloignait.

J'ai appelé mes compagnons. Un silence pesant était retombé sur les lieux du massacre. Je me suis mis alors à ramper parmi les restes de notre campement dévasté. Enjambant des masses inertes, j'ai fini par retrouver ce qui me semblait être le capitaine. J'ai palpé son visage. Il était glacé. J'ai tâté le haut de son corps. Mes doigts n'ont trouvé qu'un trou béant rempli d'une bouillie chaude. Dans l'état de confusion extrême où je me trouvais, cela m'a pris un certain temps pour prendre conscience de l'atrocité de ce qui venait de se passer.

Le monstre les avait tous tués et, par je ne sais quel miracle, j'étais le seul à avoir été épargné !

Je suis resté deux jours sur la banquise. Ce sont des chasseurs d'un brick de l'île du Prince-Édouard qui m'ont retrouvé. Annabelle était avec eux. J'avais le visage si boursouflé et si brûlé par le froid qu'elle m'a à peine reconnu.

Mes sauveteurs l'ont aidée à me coucher sur un brancard pendant que les autres emportaient dans des toiles à voile les corps des hommes de la *Marie-Morgane*.

Annabelle s'est penchée sur moi. Elle pleurait en me tenant la main. Je l'ai entendu dire à un des chasseurs :

— Regardez ! Il a quelque chose dans la main. Aidez-moi. Ses doigts sont si crispés dessus que je n'arrive pas à les desserrer.

Quelqu'un m'a saisi le poignet. Mes phalanges ont cédé, et une voix a poussé un juron d'épouvante :

— Par tous les démons de l'enfer ! Qu'est-ce que c'est que cette horreur ? On dirait une oreille humaine ! Mais as-tu vu la grosseur ! Ça n'a pas de maudit saint bon sang !

7

Lettres d'amour

17 avril 1912

Je suis resté alité plusieurs jours. Annabelle n'a pas quitté mon chevet un seul instant.

Je vais beaucoup mieux. J'ai recouvré la vue, même si mes yeux restent très sensibles à la lumière.

La grande mouvée des phoques a disparu et la débâcle a commencé dans un grand fracas de glaces qui se disloquent et chavirent sous l'assaut triomphant des eaux enfin libres. Les eaux purificatrices qui lavent et engloutissent tout.

Hier, le bateau qui ravitaille le phare a réussi à accoster, et c'est par lui que j'ai eu des nouvelles du monde extérieur. J'ai écrit une lettre où j'ai fait part aux autorités de la mort inexpliquée des chasseurs de phoques.

Le Gaspésien à qui je l'ai remise l'a glissée dans sa poche en haussant les épaules.

— Vous savez, ça sert pas à grand-chose. Ce qui se passe sur votre rocher, nos bourgeois*, ils s'en sacrent. Pour eux, on ne vaut même pas un des verres de vieux scotch qu'ils s'enfilent, bien calés dans leurs fauteuils, les pouces dans les poches de leur gilet.

Il a raison. Je lui ai fait au revoir de la main. Il a répondu par un salut militaire tout en tournant sa roue de gouvernail pour s'éloigner des brisants.

J'ai trouvé assez de force pour rallumer le phare. Il le fallait, car les goélettes descendant le fleuve et les premiers vapeurs bravant les icebergs et les glaces en débâcle ne vont pas tarder à apparaître. Heureusement, il fait beau ! Hier soir, j'ai vu passer au large un grand paquebot émergeant de la brume comme un fantôme, et j'ai pensé à cet autre géant des mers** qui, d'après les journaux, a sombré au large de Terre-Neuve. Près de mille cinq cents malheureux happés par les

---

* Patrons.
** Note de l'éditeur : Allusion au Titanic qui heurta un iceberg et coula le 15 avril 1912 entre 2 h 18 et 2 h 20, faisant près de 1500 victimes parmi les 2200 personnes à bord.

eaux glacées. En comparaison, bien sûr, mon propre drame peut sembler d'une scandaleuse futilité. Mais l'être humain est ainsi fait : il ramène toujours le monde à sa mesure et n'a du malheur des autres qu'une expérience abstraite, limitée à la lecture rapide d'un article de presse qui lui est consacré.

Une bonne partie de la matinée, j'ai été très occupé à nettoyer les miroirs de la lanterne et à remplir les lampes à huile. J'ai noté un détail bizarre. Les oiseaux de mer qui, d'habitude, à cette époque, nichent par milliers dans les falaises, ont disparu.

De nouveau règne un silence anormal. Depuis la tragédie de la *Marie-Morgane,* on dirait que l'île tout entière attend.

Raoul non plus ne s'est toujours pas manifesté. S'il est pour quelque chose dans ces événements sanglants, il doit être retourné dans son antre pour y panser ses plaies et reprendre des forces.

Car je sais qu'il est là, quelque part, tapi dans l'ombre. Je sais qu'il nous guette et n'attend que le moment propice pour bondir sur moi et se venger d'Annabelle.

C'est d'ailleurs pourquoi je tiens à terminer ce journal. Afin que ceux qui le retrouveront sachent ce qui s'est réellement produit.

Je le sais maintenant, ce n'est plus qu'une question de jours.

Si je dois mourir et si son forfait accompli, Raoul réussit à s'échapper de l'île, je veux que le monde soit averti du danger et qu'il sache quelle force démoniaque il devra affronter.

En faisant le tri de mes papiers, j'ai retrouvé une liasse de lettres qu'Annabelle m'a envoyées il y a quelques années. Elles aideront peut-être à comprendre, sinon à excuser, les actes criminels qui ne manqueront pas d'ensanglanter cet endroit où je pensais pourtant avoir trouvé un ultime havre de paix.

24 novembre 1906

Cher Vincent,

Quel triste Noël !

Je n'ai pas eu de nouvelles de vous depuis l'été. Je sais que le courrier se rend difficilement sur votre île, mais, si cela continue, je vais finir par croire que vous me fuyez. J'ai le sentiment que vous m'en voulez

à cause de ce qui s'est passé entre votre frère et moi.

Je suis plus que désolée, je suis malheureuse, car, même si je ne suis pas insensible au charme de votre frère qui m'écrit des lettres passionnées, je tiens aussi à vous.

Je veux que nous restions amis. Pourquoi ne venez-vous pas me voir à Québec ? Je me sens très seule. Mon oncle Henri est retourné en France et je ne crois pas qu'il reviendra de sitôt en Canada. Sa santé s'est détériorée depuis son dernier voyage. En outre, sa nouvelle femme Hélène, la fille du baron de Seillières, trouve complètement extravagante l'idée de dépenser des millions pour transformer Anticosti en arche de Noé. Elle préfère les bals masqués qu'elle organise à Chenonceaux, dans le château que son mari vient de lui offrir.

Vous voyez, il y a des femmes encore plus capricieuses et plus frivoles que moi.

J'ai appris que vous avez quitté Mingan et que vous avez décidé de vous faire ermite sur ce rocher battu par les flots, au milieu du golfe Saint-Laurent. D'abord, je n'ai pas voulu le croire ou plutôt je n'ai pas su comment interpréter ce geste désespéré. Soit que vous ayez choisi de vous enterrer là-bas parce que vous me détestez et que vous ne voulez plus me voir; soit que vous m'aimez encore et que vous êtes allé chercher sur cette île du bout du monde un décor grandiose et désolé, à la mesure de vos sentiments déçus.

Je me sens affreusement coupable! Combien je regrette! Ne me dites pas que je vais devoir supporter, ma vie durant, le remords de vous avoir perdu et le deuil de votre absence.

Annabelle

21 février 1907

Deux mois et toujours pas de nouvelles de vous. Pourtant il paraît que, pendant la morte saison, quand le fleuve est fermé à la navigation, vous venez parfois passer quelques jours à Québec. C'est dit: vous ne m'aimez plus. Vous avez non seulement tourné la page, mais vous l'avez arrachée et bouchonnée pour la jeter à la corbeille. Vincent, vous êtes cruel. Comment pouvez-vous me laisser dans cette incertitude?

*Raoul, lui au moins, ne m'a pas aban-
donnée. Il me console. Il continue de
m'écrire. Il me fait envoyer des fleurs. Il
m'achète des robes qui viennent directement de Paris et m'a promis de m'emmener
au bal du Gouverneur...*

*Il a beaucoup changé. Comment dirais-
je...? Il s'est «civilisé». Oui, c'est cela. Au-
paravant, je peux bien vous l'avouer, il me
faisait un peu peur. Aujourd'hui, il m'amuse.
C'est fou ce qu'il peut vous ressembler. On
pourrait presque vous confondre. Tout à fait
votre portrait, mais en plus frustre. Il a beau
s'habiller chez les meilleurs tailleurs et
porter des souliers fabriqués par un grand
bottier parisien, quand il est à mon bras, il y
a toujours dans sa façon de se comporter
quelque chose de gauche et de brutal,
quelque chose d'emprunté et d'un peu
ridicule, qui fait se retourner les gens. Cela
m'amuse beaucoup. Tous mes amis l'adorent.
Il est riche. Il les fait rire, eux aussi. Pourtant,
j'ai une drôle d'impression. Par moments,
sous son regard, je me sens un peu comme
un oiseau entre les griffes d'un chat.*

*Oui, votre frère m'intrigue. On dirait
qu'il mène deux vies à la fois. L'une en
pleine lumière ; l'autre, plus mystérieuse,*

 151

la nuit. Je pense que c'est cela qui me séduit chez lui : le mystère, la part d'inconnu !

On dit qu'il brasse de grosses affaires. C'est sans doute ce qui explique ses rendez-vous secrets, ses brusques départs et ses longues absences. Il connaît personnellement le premier ministre Lomer Gouin et a investi des sommes importantes dans la construction du nouveau pont de fer qui enjambera bientôt le fleuve.

Mais tout ça ne vous intéresse pas et doit même vous irriter. Je le sais. Pouvoir, argent que vous importe ! Vous ne resteriez pas enfermé au sommet de votre phare comme un stylite* en haut de sa colonne, si vous aviez, comme Raoul, cette dévorante volonté de puissance.

Raoul me le dit souvent: vous et lui, vous êtes à la fois pareils et opposés, comme les figures du jeu de cartes. Quand il parle de vous, c'est la même chose. On se demande s'il vous aime ou s'il vous déteste. Il prétend que vous êtes un pur et que, comme tous les êtres épris d'idéal, vous vous interrogez trop sur vous-même et, vous vous torturez pour rien. Selon moi, il n'a pas tort. Il faut croire au bonheur, Vincent ! Il faut croire à la vie !

---

* Solitaire chrétien qui faisait vœu de vivre au sommet d'une colonne ou d'un portique.

Allez, comme sans doute vous ne répondrez pas plus à cette lettre qu'à celle que je vous ai déjà écrite, je vous dis adieu.

Je vous aime.
Annabelle

6 mai 1907

Vincent,

Enfin, tu as rompu cet insupportable silence. J'ai lu ta lettre en cachette et j'ai éclaté en sanglots. Pourquoi as-tu attendu si longtemps pour me dire tout cela?

C'est trop tard! Quel gâchis! Mon Dieu, quel gâchis!

Je me suis fiancée à Raoul en mars dernier! J'ai cru que tu ne m'aimais plus, que tu m'avais oubliée, effacée de ta vie. Ton frère, lui, était là. J'ai fini par dire oui. C'est une erreur. Je le sais et je vais le regretter toute ma vie.

Tout le monde me le dit. Mon père m'a avertie que c'était de la folie, qu'un mariage n'était pas un saut dans le vide, les yeux fermés. Il m'a révélé que Raoul était compromis dans des transactions plutôt douteuses. De mauvaises langues m'ont égale-

ment laissé entendre qu'il aurait été surpris à plusieurs occasions dans des maisons mal famées de Saint-Sauveur et du quartier Saint-Roch. Je sais tout cela. Mais je n'ai ni le courage de revenir en arrière ni celui d'affronter la colère de ton frère en rompant avec lui. Raoul a d'ailleurs disparu depuis le printemps. Quelqu'un l'a vu prendre le bateau. Selon son comptable, il serait à Londres. Peut-être est-il parti pour toujours...

Mon Dieu! Mon Dieu! Vincent, ne m'abandonne pas. Je n'ai plus que toi. Je hais ma faiblesse. Je hais encore plus ce côté insensé de moi-même qui me pousse à aller vers cet autre homme qui, j'en suis sûre, ne me fera que du mal. Alors que, du fond de mon âme, c'est toi que j'aime. Peux-tu comprendre cela? Est-ce dans la nature humaine? Est-ce que toutes les femmes agissent de cette façon?

En attendant, comme je sais que Raoul me fait surveiller, je te laisse l'adresse d'une amie fidèle qui habite la Grande-Allée. Elle me transmettra tes lettres.

Écris-moi! Je t'en supplie. Dis-moi que je suis folle! J'ai besoin de savoir si *j'ai encore une petite place dans ta vie et si je peux compter sur ton aide.*

Avec tout mon amour,
Annabelle

12 janvier 1908

Hélas ! L'irréparable est accompli : je suis mariée. Tu n'es pas venu à la cérémonie. Je m'en doutais.

Ton frère a fait les choses royalement. Jusqu'au dernier moment, j'ai été tentée de dire non. Vingt fois, dans l'église, je me suis retournée dans l'espoir de te voir arriver. Vingt fois, j'ai été tentée de me sauver en arrachant mon voile.

Raoul, lui, avait l'air rayonnant jusqu'au banquet, où j'ai dansé avec lui. Il m'a demandé : « Es-tu heureuse ? » J'ai répondu avec une fausse bonne humeur qui ne l'a pas trompé un instant. Il a deviné que je mentais.

Ce soir-là, il a beaucoup bu et s'est comporté comme une brute...

De nouveau, il me fait très peur. Par moments, il y a en lui un fond de sauvagerie qui abolit toute humanité. Il est alors sujet à des crises de violence inouïe.

Mon père, qui a déjà travaillé dans les prisons, m'a dit : « Méfie-toi, ma fille, c'est la bête qui s'éveille ! » Je ne comprends pas trop le sens de cet avertissement. Toi qui as vécu si longtemps avec lui, peux-tu me l'expliquer ?

En attendant, j'essaie de m'habituer à mon nouveau rôle d'épouse. Raoul est de nouveau en Europe. Il s'est embarqué à New York, trop impatient pour attendre que le Saint-Laurent soit libéré de ses glaces. Sans doute ne reviendra-t-il pas avant l'hiver prochain. Nous avons une belle maison, avec une véranda d'où je peux voir le fleuve. Je pense à toi. Je donne des ordres aux domestiques qui ont toujours l'air terrorisé quand je leur parle. J'arrange des bouquets de fleurs dans les vases. Je reçois de vieilles Anglaises pour le thé. Je prépare le menu des repas en espérant la venue d'improbables invités, car, depuis plusieurs mois, la bonne société de la ville de Québec fuit notre maison. Je passe de longues heures devant mon miroir à me peigner et à me parfumer. J'imagine que tu es là, près de moi. Puis, lasse d'attendre, je me couche, seule.

Vincent, je suis affreusement malheureuse.

À toi, pour toujours.

Annabelle

5 septembre 1908

Vincent,

Raoul est introuvable ! Depuis l'effondrement de la travée centrale du pont de Québec, en août dernier, des gens le cherchent pour l'interroger. Il est accusé d'avoir détourné des fonds et versé des pots-de-vin à certains ingénieurs de la Phœnix Bridge. Les journaux le tiennent en partie responsable de la catastrophe qui a fait quatre-vingt-quatre victimes, noyées dans les eaux du fleuve ou écrasées sous les poutrelles d'acier tordues.

Je n'ose plus sortir et c'est tout juste si j'ai de quoi payer les gages du cocher et les services de ma femme de chambre.

Un constable* est venu hier. Il m'a posé des questions à propos de Raoul. Il a été question de deux jeunes prostituées, assassinées après avoir été mutilées dans un bouge du port. Je lui ai fait remarquer que je ne voyais pas en quoi cette affaire nous concernait, mon mari et moi. Il a insisté, mal

---

* Ancienne manière de désigner les agents de police (anglicisme).

gré tout, pour que je lui précise l'emploi du temps de Raoul.

Je ne sais plus quoi penser.

Ce que je n'ai pas dit aux policiers, c'est qu'hier, en faisant le ménage de la garde-robe de ton frère, j'ai trouvé des taches de sang sur la doublure de sa pelisse.

Vincent, je suis morte d'inquiétude. Que dois-je faire ? Quelle monstrueuse révélation m'attend à la fin de ce long cauchemar ? Je n'en peux plus...

... Excuse-moi. Je reprends cette lettre que j'ai dû interrompre quand Raoul est arrivé, hier soir... Il s'est glissé dans la maison, sans bruit. Je ne sais pas d'où il venait. Il était affreusement crotté. Il sentait la sueur et le patchouli. Il avait l'air égaré. Quand il m'a vue assise, la plume à la main, il est entré dans une rage folle. Il a fracassé ma bouteille d'encre contre le mur et a froissé mon papier à lettres. Puis il m'a tordu le poignet :

« À qui écris-tu ? Que lui racontes-tu ? »

Je lui ai dit de me lâcher, qu'il me faisait mal. Il m'a jetée sur le lit et a déchiré mon peignoir.

Ton frère est un être ignoble... Il me force à subir des choses dégradantes... J'ai honte. *Je me dégoûte tellement que j'ai masqué mon miroir avec un châle pour ne plus voir l'image qu'il me renvoie.*

Vincent, je voudrais mourir...

Il n'y a plus que toi... !

Annabelle

Hôpital Hôtel-Dieu de Québec, 22 janvier 1911

Vincent,

C'est peut-être la dernière fois que je t'écris. Adieu, mon amour !

Je connais maintenant le terrifiant secret de Raoul et il le sait. Un jour ou l'autre, il me tuera. Car si je parle, il sera pendu.

C'est arrivé, il y a une semaine environ. Toujours traqué par les autorités, Raoul n'avait pas paru à la maison depuis plusieurs mois. Il vivait, semble-t-il, à l'hôtel, changeant constamment d'adresse. Mardi dernier, il est revenu frapper à ma porte, vers une heure du matin. À la lumière de la lampe à pétrole, quand je l'ai vu, sale, en haillons, la barbe longue, je l'ai d'abord

pris pour un rôdeur qui tentait de s'introduire par effraction.

Je lui ai demandé, la gorge nouée:

— Que viens-tu faire ici?

Il m'a répondu en grinçant des dents:

— Je suis encore ton mari à ce que je sache.

J'ai tout de suite pensé: «Il est au courant des procédures que j'ai entreprises pour faire annuler notre mariage. Il va m'étrangler.»

Mais je m'étais trompée. Il m'a juste demandé de l'héberger un jour ou deux. Sa place était réservée sur un cargo. Il avait l'intention de quitter définitivement le pays...

J'ai commis l'erreur de l'écouter. Il avait l'air fatigué et j'ai remarqué qu'il grimaçait et clignait des yeux dès que j'approchais la lampe trop près de lui. Il a grogné:

— Éteins ça!

J'ai soufflé la flamme et je l'ai laissé entrer. Je n'aurais pas dû.

Je lui ai proposé de prendre un bain. Il a refusé. Je lui ai offert un verre de madère. Il a trempé ses lèvres dans la coupe. Tout de suite, il a recraché la boisson qui a semblé

provoquer chez lui de douloureuses contractions de la gorge. Je lui ai dit :

— Tu peux dormir là-haut, dans la
chambre de bonne. Amélie m'a rendu son
tablier.

Il m'a répondu qu'il préférait s'installer
un lit dans la cave. Ne voulant pas le con-
trarier, j'ai cédé à sa demande.

Le dimanche suivant, il n'avait toujours
pas quitté sa tanière. Il y restait enfermé tout
le long du jour, disparaissant au crépuscule
pour réintégrer son trou aux premières
lueurs du jour. Jamais je ne le voyais sortir
ou entrer.

Une fois, j'ai cru l'apercevoir qui traver-
sait le jardin. Silhouette furtive, à peine
entrevue à la lumière blafarde des réver-
bères, aussitôt avalée par la bouche d'ombre
d'une ruelle menant on ne sait où.

C'est seulement trois ou quatre jours
plus tard que j'ai commencé à me douter
que ces allées et venues nocturnes pouvaient avoir quelque rapport avec les
événements sordides dont faisaient étalage
les gazettes de Québec. En effet, toute la
ville était en proie à une véritable paranoïa.
Plusieurs filles de rues avaient été retrou-
vées mortes dans des circonstances

troublantes. *Les enquêteurs, d'ailleurs, hési-taient à parler de crimes, car les victimes donnaient plutôt l'impression d'avoir été attaquées par un carnassier de grande taille. Elles avaient été égorgées, la créature leur ayant dévoré le haut des cuisses ainsi qu'une partie des viscères, comme le font les lions et les tigres lorsqu'ils se repaissent de leurs proies. Après vérification, aucun cirque ne campait aux abords de la ville, aucun grand félin ne s'était échappé de sa cage. Les jour-naux avaient largement exploité ces meurtres mystérieux. Toujours à l'affût de nouvelles sensationnelles, ils y avaient vu une belle occasion de gonfler leurs tirages et n'avaient pas peu contribué à accroître le climat d'hystérie collective en titrant : « Un nouveau Jack l'Éventreur canadien ! », ou « Le loup-garou de Québec frappe encore ! »*

À vrai dire, je m'intéressais assez peu à ces faits divers macabres qui me parais-saient sortis tout droit de l'imagination mal-saine de certains journalistes, dans le seul but d'effrayer les concierges et les jeunes ouvrières des manufactures. Ce qui me préoccupait, c'était la senteur qui avait envahi la maison. J'avais d'abord pensé que cette mauvaise odeur, qui me soulevait le cœur, provenait d'une boîte à ordures abandonnée dans l'arrière-cour. Ce n'était pas cela. La pestilence venait de l'intérieur des murs. Une odeur insupportable de pourriture. J'avais beau faire fumiger les pièces de l'appartement et répandre un peu partout des cristaux de camphre, la puanteur continuait d'imprégner les lieux au point où, pour ne pas défaillir, je devais garder devant mon nez un mouchoir imbibé de parfum.

J'en suis venue à la conclusion qu'il s'agissait peut-être d'un chat crevé coincé quelque part ou de déchets de cuisine oubliés. Je me suis mise à la recherche de l'origine de cette infection en explorant la maison du grenier au cellier.

Ce que j'ai découvert, j'ose à peine te le raconter.

Depuis qu'il se terrait à la cave, Raoul avait toujours refusé qu'on y fasse le ménage et en avait interdit l'accès.

Jusque-là, j'avais respecté cette volonté de protéger farouchement son intimité, mais, étant donné que la senteur nauséabonde semblait émaner du sous-sol, j'ai décidé d'aller voir ce qui se passait en bas. La cave était verrouillée. Pensant que Raoul était sorti, j'ai fait sauter le cadenas à l'aide d'un pied-de-biche. La lourde porte de chêne s'est ouverte en grinçant. Les marches de l'escalier étaient plongées dans l'obscurité. Une bouffée d'air chaud m'a frappé le visage. Il s'en dégageait une odeur si abominable que j'ai dû m'appuyer sur la rampe pour ne pas m'évanouir. Comme il n'y avait pas d'éclairage, j'ai allumé le fanal que j'avais emporté. J'ai monté la mèche et descendu les degrés avec précaution. L'endroit était dans un désordre indescriptible. Le sol était jonché de débris et de guenilles souillées qui formaient une sorte de litière immonde. Un peu partout, il y avait des os à moitié rongés et des morceaux de viande grouillant de vers. Pétrifiée d'horreur, je suis restée debout sur la dernière marche de l'escalier, incapable de bouger.

À la lumière vacillante de la lampe que je tenais à bout de bras, j'ai aperçu une forme couchée en boule qui s'est délovée lentement. Ce n'était pas un animal. Ce n'était pas un homme non plus. La créature était nue. Des touffes de poils noirs garnissaient ses épaules. Son torse était également très velu et une sorte de crinière hérissée lui courait tout le long de l'échine. Elle me fixa de ses yeux jaunes qui étincelaient dans le noir.

La Bête a retroussé ses babines et s'est mise à gronder. J'ai fait un pas en arrière. J'ai trébuché et la lampe m'a échappé. Elle est tombée sur le sol où elle s'est brisée. L'huile s'est enflammée. Au même moment, pendant que j'étouffais les flammes avec mon pied, une masse énorme s'est abattue sur moi. Je me suis débattue. La chose m'a mordue au visage. J'ai hurlé :

— Qui êtes-vous ? Raoul, est-ce toi ? Au secours !

La Bête s'est acharnée.

J'ai cru ma dernière heure arrivée et, dans mon désespoir, tout en sachant pertinemment que c'était inutile, c'est toi, Vincent, que j'ai appelé à l'aide.

Stupéfaction ! À l'appel de ton nom, la Bête a hésité et ses griffes ont relâché subitement leur étreinte. Elle a fouaillé du museau entre mes jambes, passé sa langue râpeuse sur mon visage et flairé au creux de mon cou. Puis, avant même que je ne revienne de ma surprise, elle a bondi dans l'escalier et disparu, laissant échapper toutefois un petit objet brillant qui a roulé jusqu'à mes pieds.

Quand j'ai retrouvé mes esprits, je me suis baissée pour voir de quoi il s'agissait : c'était l'anneau de mariage de Raoul.

Le monstre, c'était lui. J'en suis sûre maintenant.

Quand on m'a retrouvée, j'avais le visage en sang. On m'a transportée à l'hôpital...

Aujourd'hui, je me remets lentement de mes blessures.

Les sœurs-infirmières ont bien pris soin de moi. Le docteur McPherson m'a promis qu'avec le temps les cicatrices s'effaceraient. Par contre, lorsque j'ai demandé un miroir, il a défendu qu'on m'en apporte un.

Je dois être affreuse.

Le même policier qui m'avait interrogée il y a trois ans est revenu me harceler de questions. Je lui ai dit que je ne me souvenais de rien. Que j'avais dû être attaquée par un chien enragé ou que je m'étais blessée en tombant. À quoi cela servirait-il que je lui dise la vérité ? Il penserait que je suis folle.

Toi, Vincent, tu me crois, n'est-ce pas ? Il faut que tu me croies ou je suis perdue. J'ignore pourquoi il m'a épargnée. Peut-être parce qu'il se sentait traqué. Peut-être, simplement, avait-il encore besoin de moi pour se procurer un abri.

La prochaine fois, il me tuera.

Vincent, ne m'abandonne pas. Je t'en supplie. Je n'ai plus que toi.

Je t'aime.
Annabelle

29 juillet

Vincent, Vincent,

Pourquoi ne m'as-tu rien dit de ce que tu savais de Raoul ? Pourquoi ne m'as-tu pas parlé de la maladie de ton père et des circonstances de sa mort ? Non, ne dis rien ! Je connais déjà la réponse : parce que c'était ton frère, parce que c'était ton père.

Tu as raison. Tu as raison aussi quand tu me conjures de fuir. Mais fuir où ? Il me retrouvera. C'est le diable. Il a des amis partout... Nulle part, je ne serai en sécurité.

Adieu, Vincent.
Adieu, mon amour.
Annabelle

7 août 1911

Vincent, mon amour,

J'ai fait tout ce que tu m'as dit. J'ai réuni tout ce que j'avais de plus précieux dans deux coffres de voyage. J'ai vendu mes bijoux et emprunté mille dollars à mon père. J'ai acheté mon billet pour Halifax où tu dois me rejoindre. Le vapeur appareille demain. En attendant, j'ai pris sous un faux nom une chambre à l'hôtel. Je n'ai dit à personne où j'allais et je n'ouvre à personne.

À bientôt,
Je t'aime,
Annabelle

8 août 1911

Mon amour,

Je t'expédie ce petit mot de ma cabine du Britannia. J'ai peur. Un incident s'est produit juste avant que j'embarque. Alors que je montais à bord, un messager m'a livré un pli cacheté que j'ai ouvert. Il ne contenait qu'une seule phrase : « Tu peux te sauver au bout du monde, je te retrouverai ! »

J'ai eu un étourdissement. J'aurais probablement chuté en bas de la passerelle si un officier ne m'avait retenue. Il m'a raccompagnée à ma cabine et m'a saluée tout en s'excusant :

— Désolé, madame, nous ne pourrons lever l'ancre que dans une couple d'heures. Un incendie fait rage dans la haute-ville. Une main criminelle a mis le feu à une maison et les flammes se sont propagées à *plusieurs résidences du voisinage. Cela a causé des encombrements et retardé le chargement du navire. Vous pouvez vous allonger et vous reposer un peu en attendant.*

Un peu plus tard, je me suis informée sur le lieu de ce sinistre : c'était ma maison qui était en flammes !

Vincent, j'ai l'impression qu'il est au courant de nos plans. Il ne nous laissera jamais en paix. Jamais !

Annabelle

J'ai soigneusement attaché le paquet de lettres avec un ruban. Je l'ai placé avec mes papiers de famille et quelques coupures de journaux, dans une boîte de métal que j'enfermerai un peu plus tard dans le coffre-fort de l'administration.

Je suis allé ensuite dans la chambre. Annabelle s'était abandonnée au sommeil, entièrement nue. Je me suis assis à côté du lit dans mon fauteuil berçant et je l'ai regardée dormir toute la nuit afin de m'imprégner de cette image de bonheur d'autant plus précieuse que je la savais menacée.

Annabelle avait laissé un livre ouvert sur la courtepointe qu'elle avait repoussée du pied à cause de la chaleur du poêle. C'était un recueil de poèmes d'un auteur américain du siècle dernier. J'en ai lu quelques vers à voix basse :

Il y a maintes et maintes années,
Dans un royaume près de la mer,
Vivait une jeune fille que vous pouvez
Connaître par son nom
D'ANNABEL LEE
Et cette jeune fille ne vivait
Avec aucune autre pensée
Que d'aimer et d'être aimée de moi...

... Et ni les anges là-haut dans les cieux,
Ni les démons sous la mer,
Ne pourront jamais disjoindre
Mon âme de l'âme de la très belle
ANNABEL LEE*.

Soudain Annabelle a tendu sa main vers la mienne et a murmuré sans ouvrir les yeux :
— C'est beau, hein ?

— Oui, ai-je répondu, on dirait que ces mots ont été écrits pour toi.

---

* Célèbre poème d'Edgar Allan Poe.

Elle a souri et a paru se rendormir. J'ai voulu me lever. Elle m'a retenu.

— Vincent, tu es là ?

— Oui.

— Reste. J'ai quelque chose d'important à te dire.

— Ça peut attendre. Dors, il est trois heures du matin.

— Non, Vincent, je suis enceinte.

8

Que la bête meure!

1er mai 1912

J'attends toujours. Annabelle aussi. Cependant, son état lui a donné une sorte de sérénité qui a effacé sa peur et régénéré sa volonté de vivre.

De mon côté, je me prépare au pire. J'ai la certitude que Raoul est tout proche. Je sens sa présence. Il est peut-être même ici depuis des mois.

Qui, sinon, aurait eu intérêt à forcer le magasin à provisions pour y éventrer les sacs de farine et y renverser les tonneaux de lard salé et de mélasse? Et puis, il y a l'escalier de bois qui mène au débarcadère. Construit dans une dépression, au sud, là où les falaises sont les moins élevées, c'est le seul moyen d'atteindre le sommet tabulaire sur lequel se dresse le phare. C'est également la seule issue pour s'enfuir. Or, une bonne partie de cet ouvrage n'est plus que décombres à demi calcinés. Quant à la barque, qui était amarrée au quai flottant, elle aussi a été détruite. Défoncée, elle a coulé, et seule une partie de sa proue sort de l'eau. Comme le navire de ravitaillement ne reviendra pas d'ici longtemps, nous voici donc isolés sur ce rocher entre ciel et terre.

Son plan est simple : nous affamer et nous assiéger. S'il hésite encore à nous attaquer, c'est simplement parce qu'il sait, d'instinct, que je lis dans ses pensées et que je suis capable de déjouer ses ruses.

À moins qu'une étincelle d'humanité ne subsiste en lui et qu'il hésite à tuer les deux seuls êtres qu'il a aimés...

D'ailleurs, il n'a pas tort de se méfier en restant ainsi à l'affût. Moi aussi, j'ai pris mes précautions.

Au dernier étage du phare, j'ai stocké des couvertures, des conserves et de la poudre. J'ai convaincu Annabelle d'y emménager et de s'y barricader avec moi. La tour est un donjon solide et facile à défendre. Pour y accéder, il n'y a qu'une porte d'acier d'un pouce d'épaisseur, renforcée de traverses de chêne, et les cent vingt marches de l'étroit escalier hélicoïdal accroché aux parois intérieures.

Tout est prêt. Cette fois, j'ai l'intime conviction que le dénouement est imminent. Il n'aura pas le choix d'attendre plus longtemps. Une autre tempête se prépare et, d'après les signes que j'ai relevés, elle risque de virer à l'ouragan. Si elle a la même force dévastatrice que celle qui a frappé l'île l'an passé, à la même date, pas un être humain, pas un animal ne pourra survivre à moins qu'il ne trouve un endroit sûr... Et le seul refuge que je connaisse, capable de résister à la fureur des éléments, c'est précisément le phare.

De noires nuées galopent dans le ciel blafard, telles de sombres walkyries. La houle, qui se creuse de plus en plus, commence à bouillonner et à se crêter d'écume.

Je viens de consulter le baromètre. Je n'en crois pas mes yeux tant il a chuté : huit cent soixante-dix hectopascals ! Le vent forcit de minute en minute. Plus de cinquante nœuds.

Un à un, j'ai inspecté tous les hublots de bronze installés dans la maçonnerie de la tour. L'an passé, trois d'entre eux avaient éclaté sous les formidables charges des lames. L'eau avait envahi l'intérieur et, sous la pression, le courant d'air chassé vers le haut avait failli souffler les lampes comme de simples bougies. Je ne suis pas prêt d'oublier ça. Toute la construction vibrait sur ses fondations. Elle « travaillait » tellement, que j'ai bien cru qu'elle allait être déracinée et emportée dans la tourmente.

Annabelle n'a jamais été si calme. Fatalisme ou courage devant le danger?

Elle se tient sur la galerie, au sommet du phare. Cheveux au vent, yeux fermés, elle respire à pleins poumons le souffle de l'océan en furie.

Elle est magnifique. Je l'admire et je l'envie.

Pour ma part, le déchaînement de la tempête ne m'inspire pas le même plaisir extatique. Moi, j'ai l'impression que cette grande colère océane annonce une terrible vengeance, comme si la mer avait décidé une fois pour toutes de nettoyer cette île maudite du sang qui la souille.

La vélocité du vent a encore augmenté. Tantôt, les lames rageuses et impuissantes se brisaient au pied de l'éperon rocheux, en dessous de nous. Maintenant, elles montent, triomphantes, à l'assaut de la tour qui vibre sur sa base et résonne comme une cloche. Les coups de bélier de la mer accélèrent leur cadence. Ils ébranlent la porte d'entrée avec un tel fracas qu'on a l'impression qu'un poing géant y cogne sans arrêt. Les poutres craquent. Fouettées par les embruns, les vitres tremblent à la limite de voler en éclats. S'infiltrant par le plus infime interstice, le vent ajoute sa voix sifflante à cette symphonie infernale.

Pendant que j'allumais les lampes de la lanterne, Annabelle est rentrée, trempée par le déluge de pluie qui commence à tomber. Elle m'a jeté un coup d'œil vaguement inquiet.

Je m'efforce de la rassurer :

— Rien à craindre, c'est construit sur le roc. Il est solide. Le diable en personne n'en viendrait pas à bout.

Pieux mensonge, car je connais la force invincible des éléments, et tout le monde, dans le métier, sait que nombre de phares ont été balayés par des cyclones à peine plus violents. C'est arrivé dans les Sorlingues*, au large de la Cornouaille.

---

* Connues aussi sous le nom d'îles Scilly.

L'anémomètre et le baromètre ne se trompaient pas. Nous sommes désormais en plein milieu de l'ouragan. Si Raoul est réellement sur l'île, il doit en ce moment chercher un abri à tout prix, car rien ne résistera à ce maelström.

Annabelle écoute, elle aussi, l'océan en folie. Elle sursaute malgré elle lorsqu'une vague déferlante plus violente que les autres fait osciller le phare qui craque comme si l'île entière eût été un immense navire en perdition.

Depuis quelques heures, le phare a pris un aspect crépusculaire. Il s'embrase régulièrement d'éclairs, et le fracas du tonnerre vient ajouter son assourdissant jeu de cymbales au mugissement de l'océan.

L'horloge s'est arrêtée. Je ne sais plus depuis combien de temps la tempête s'est abattue sur nous.

Tout à l'heure, la tour s'est illuminée tout entière et une épouvantable explosion l'a ébranlée jusque dans ses fondements, pulvérisant une vitre et arrachant la porte de ses gonds.

À demi étourdie, Annabelle a été projetée sur le plancher. Je l'ai aidée à se relever.

— Tu n'as rien? lui ai-je demandé.

— Que s'est-il passé?

— C'est la foudre. Elle est tombée directement sur nous.

— Où cours-tu?

— Je descends. Il faut absolument obturer les ouvertures...

Il m'a suffi de gagner l'étage inférieur pour constater les dégâts: poutrelles tordues, tuyaux arrachés. Des paquets de mer s'engouffraient par le trou béant et l'eau qui tourbillonnait à la base du phare avait déjà mis à mal une partie de la machinerie. Au fond de ce puits noir, toutes sortes de débris s'entrechoquaient au gré des vagues qui se retiraient et revenaient, chaque fois plus tumultueuses et plus destructrices.

J'ai pataugé jusqu'à la taille dans cette eau agitée et mousseuse qui, par moments, s'éclairait d'étranges phosphorescences. Je devais me cramponner à la rambarde pour éviter d'être emporté par le courant qui produisait une puissante succion à chaque reflux.

Combat désespéré et en grande partie inutile, car il aurait fallu au moins trois ou quatre hommes pour relever le panneau arraché de la porte, le remettre en place et l'étançonner solidement.

Néanmoins, à l'aide de quelques épaves, je suis parvenu à construire un barrage de fortune.

Et puis... tout à coup, une masse informe, régurgitée par la mer, m'est arrivée dessus, portée par une grosse vague qui a tout submergé autour de moi. Quand l'eau s'est retirée, j'ai vu de quoi il s'agissait. C'était un corps, couvert d'ecchymoses à force d'être ballotté par les flots et cogné contre les rochers. J'ai pensé à la dépouille de quelque infortuné naufragé. Je l'ai agrippée et hissée au sec sur les marches de l'escalier.

De forte carrure, l'homme pesait très lourd. Il respirait encore. Malgré la faiblesse de l'éclairage, j'ai aussitôt été frappé par son aspect bestial. Son visage tuméfié avait des mâchoires proéminentes. Son nez était épaté... et... IL N'AVAIT QU'UNE SEULE OREILLE, l'autre ayant été tranchée au ras du conduit auditif !

Peu à peu, il a repris conscience. Il a secoué la tête comme un chien qui s'ébroue, puis a émis une sorte de feulement de colère.

Conscient du danger, j'ai remonté lentement les marches. Grimpant à quatre pattes, muscles tendus et dos rond, l'être monstrueux m'a suivi, prêt à bondir. À reculons, j'ai continué à gravir l'escalier, marche après marche, prenant bien soin de ne pas faire de gestes brusques susceptibles de déclencher son attaque. Je n'avais qu'une pensée en tête. Je devais l'entraîner jusqu'au sommet du phare, jusqu'à la petite pièce de veille sous la lanterne. Mon fusil était là, suspendu à gauche en entrant.

Tout au long de l'interminable ascension, j'ai repassé chacun des gestes précis que je devais faire : relever le cran de sécurité, engager la balle, refermer la culasse, épauler et presser la gâchette.

La Bête humaine semblait, elle aussi, attendre le moment propice pour fondre sur moi. Elle ne me quittait pas des yeux. Des yeux dont l'éclat froid et cruel m'a ramené vingt ans en arrière. C'étaient les yeux de mon père... C'étaient les yeux de mon frère haï... C'était Raoul !

Je comprenais maintenant pourquoi cette chose innommable hésitait à m'assaillir. Elle se méfiait de moi parce qu'elle savait que nous avions le même sang et que, de toutes les créatures vivantes, j'étais la seule qui pouvait la vaincre. Car, moi aussi, à ma façon, j'avais hérité de la bête. De sa force, de sa sauvagerie. Sauf que, chez moi, cette violence atavique était contrôlée et canalisée dans un but unique pour lequel j'étais prêt à sacrifier ma vie et à me battre férocement: défendre Annabelle, défendre l'enfant qu'elle portait, empêcher celle que j'aimais de retomber entre les griffes de l'être qu'elle exécrait le plus au monde.

Nous nous retrouvions donc face à face, à la fois si proches et si dissemblables, reproduisant le plus antique des combats: celui de l'ange et du démon, celui de l'homme contre la bête ou plutôt de la bête dans l'homme et de l'homme dans la bête.

Je n'étais plus qu'à quelques pas du palier, en haut de l'escalier.

La brute s'est redressée sur ses membres postérieurs.

En guise de réponse, je l'ai violemment repoussée du pied. Elle a déboulé une dizaine de marches avant de se relever. En deux bonds prodigieux, elle m'a rejoint dans la petite pièce de veille. Elle écumait littéralement de rage.

J'ai cherché mon fusil à tâtons. Il n'était plus là.

D'un coup de patte, le monstre m'a projeté contre la muraille et a voulu pénétrer dans la pièce où j'avais laissé Annabelle. Il a flairé autour de lui et a levé les yeux vers la trappe menant à la lanterne.

Je l'ai empoigné à bras-le-corps pour l'empêcher d'aller plus loin. Nous avons roulé par terre. Je lui ai serré le cou de toutes mes forces. Il m'a terrassé et m'a écrasé de son poids. J'ai lutté jusqu'à l'épuisement, mais, finalement, c'est lui qui a eu le dessus. Presque assommé par ses coups de poing, j'ai lâché prise. Il a alors pris son élan et s'est élancé vers l'échelle menant à la lanterne. Je me suis précipité à sa poursuite en hurlant :

— Annabelle, attention !

Trop tard, l'ignoble créature avait déjà gravi les échelons menant au sommet du phare. Je l'ai suivie en titubant. Quand je me suis hissé sur la plateforme, je me suis arrêté net, aveuglé par une lumière plus brillante que mille soleils.

J'avais oublié que le phare était allumé !

Annabelle était là, elle aussi, le dos aux miroirs tournants. Elle avait mon fusil à la main.

Un coup de feu a éclaté. Puis un deuxième et un troisième. La bête humaine s'est effondrée devant moi. Elle a essayé de se relever. Une autre balle l'a touchée en plein front.

Quelques soubresauts, elle était morte.

Le regard dur, Annabelle est restée un long moment le fusil pointé sur le corps recroquevillé à ses pieds. Je lui ai ôté l'arme des mains et j'ai examiné le cadavre. À mon grand étonnement, il n'avait plus l'air aussi repoussant et me fixait de ses grands yeux figés par la mort. C'était bien Raoul, tel qu'il était quand nous étions gamins. Presque serein, avec un indéfinissable sourire plissant sa bouche, au coin de laquelle s'écoulait un mince filet de sang.

Annabelle s'est serrée contre moi. Je l'ai enlacée tendrement en lui murmurant à l'oreille :

— C'est fini, maintenant.

Épilogue

Le phare de l'Île-aux-Morts n'existe plus.
Quand la tempête s'est calmée, il n'était plus
que ruine. L'administration a décidé de ne
pas le reconstruire. Un bateau ancré en per-
manence et équipé d'un feu fixe le remplace.

Je veux oublier cette nuit d'épouvante. Je
veux oublier le bruit du corps de Raoul,
ficelé dans son linceul de toile, quand je l'ai
précipité à la mer du haut de la falaise. Je
veux tout oublier.

J'ai quitté le Canada. En 1914, j'ai été
appelé sous les drapeaux. J'ai vécu dans les
tranchées de Champagne des horreurs mille
fois plus terribles. Les rats, les poux, la boue,
les cris d'agonie des blessés dans la nuit, les
attaques à la baïonnette, les types qui

185

hurlent, rendus aveugles par le gaz moutarde, les jambes arrachées par les éclats d'obus, les corps fauchés par les mitrailleuses, qui pourrissent, accrochés dans les barbelés. Mais c'est toujours le souvenir de Raoul qui me hante.

En 1919, lorsque j'ai été démobilisé, j'ai épousé Annabelle. J'ai appris par un notaire de Québec que j'étais très riche. Plusieurs millions que j'héritais de mon frère, maintenant qu'il était légalement déclaré mort.

Avec cet argent, j'ai entrepris de restaurer Castelbouc dans toute sa splendeur d'antan.

Dans le cimetière paroissial, j'ai également fait restaurer le monument funèbre de mon père. Les restes de mes ancêtres y ont été transférés. Sur la dalle de marbre noir qui recouvre le tombeau, j'ai demandé qu'on grave le blason de la famille ainsi que les noms de Hubert et de Raoul.

En fouillant dans les archives familiales et les papiers laissés par mon père, j'ai découvert un document qui m'a plongé dans un abîme de réflexions.

Je sais maintenant à quoi travaillait Hubert de Mallemort, enfermé dans sa bibliothèque, juste avant sa mort ignominieuse. Il avait commencé une histoire du Gévaudan et de la Margeride.

Le dernier chapitre était consacré à la fameuse Bête qui terrorisa la région, en 1764. L'enquête était méthodique et l'histoire, relatée d'une main fébrile. Il y décrivait chacune des attaques. Comment telle victime avait été éventrée, telle autre, décapitée. Minutieux, il avait relevé toutes les lacunes de cette affaire et passé en revue chacune des hypothèses possibles sur la véritable identité du monstre. Il en venait à la conclusion que la « sale carne » qui avait fait tant de victimes n'était ni « un fléau du ciel », comme le disait monseigneur l'évêque de Mende, ni un ours, ni une hyène échappée de la ménagerie du roi de Sardaigne, ni un lycaon du pays des Cafres ramené par les pirates barbaresques, encore moins un hybride de lion et de tigre ou quelque autre chimère du genre destinée à être exhibée à la foire de Beaucaire. Ce n'était pas non plus l'énorme animal abattu d'une quintuple charge par le lieutenant des chasses du roi, monsieur de Beauterne, ce fameux loup de cent cinquante livres qui fut envoyé à Versailles et effraya tant les dames de la Cour.

Contrairement aux historiens du temps, il doutait même que la Bête fût le mystérieux animal abattu, deux ans plus tard, d'une balle d'argent par un certain Jean Chastel des Trois-Monts. Par contre, il avait la certitude que ce paysan matois, célébré comme un héros, était bel et bien la clé de l'énigme, que ce Chastel était la clé de l'énigme. En effet, Chastel n'avait pas tout dit. Il n'avait pas dit qu'on le soupçonnait d'être lui-même en rapport intime avec « la grande Tueuse », qu'il était un peu sorcier et que tout le monde le craignait comme le Diable. Il n'avait pas dit non plus pourquoi il lui avait été si facile de porter le coup mortel. Comment il n'avait eu qu'à imiter le cri du loup pour que la Bête sorte du bois et vienne sagement s'asseoir devant lui. Comment il n'avait eu qu'à fermer le livre qu'il lisait, à plier ses lunettes, à prendre son mousquet, à viser calmement et à tirer. Il n'avait pas non plus parlé de ses fils, les pires crapules que la terre ait portées, voleurs de grand chemin et grands blasphémateurs devant l'Éternel. Il n'avait surtout pas parlé d'Antoine, son cadet. Antoine le bâtard, né peu après que sa femme eut quitté le château où elle servait. Antoine, qui vivait dans les montagnes, avec un chien féroce, croisement de loup et de fauve, une bête gigantesque toujours revêtue d'une armure de peau de sanglier à l'épreuve des balles*. Antoine le sauvage, Antoine le colosse hirsute qui, en compagnie d'un mystérieux seigneur du coin, invoquait le diable et se livrait à de monstrueuses chasses humaines en lâchant son molosse infernal sur les petits paysans et les jolies bergères. Chastel savait tout cela.

Mon père avait entièrement reconstitué l'histoire. La bête que Chastel avait si facilement étendue, roide morte, c'était un des dogues dressés par son fils Antoine. Ce fils maudit qu'il avait dû abattre également pour ne pas le voir finir sur la roue, les membres rompus par le bourreau

Quant à la vraie Bête, évidemment, il s'était bien gardé de dire qui c'était. La Bête, c'était le monstre qui avait abusé de sa femme, le père naturel d'Antoine. Un homme que tout le monde connaissait... un noble au-dessus des lois, un fou sanguinaire qui parcourait les campagnes vêtu d'une peau de loup...

---

* Ces chiens d'attaque, vêtus d'une armure de cuir, étaient utilisés dans les armées royales.

«Messire le comte de Saint-Loup, seigneur de Mondragon!»

Mon père avait arrêté là son manuscrit en soulignant d'un trait rageur les derniers mots désignant le véritable coupable.

L'assassin, c'était mon aïeul, mort mystérieusement d'une balle d'argent tirée en plein cœur. Lui aussi.

Tous ces événements m'ont amené à m'interroger sur mes relations passées avec Raoul et sur ma propre personnalité. Qui peut dire ce qui se cache au fond de l'homme? Quelle force obscure habite notre âme? Qui peut vraiment être sûr que, la nuit, un Autre ne s'empare pas de sa conscience pour lui faire commettre des crimes abominables dont il ne garde pas le moindre souvenir?

La Bête est en chacun de nous. Elle sommeille. Ne la réveillez pas!

Je n'ai pas touché mot de cette découverte à Annabelle.

Je suis heureux. J'ai deux enfants. Deux garçons. L'un se prénomme Henri et le cadet, Hubert, comme mon père.

Hubert est d'une curiosité insatiable et d'un caractère difficile.

L'autre jour, je l'ai surpris dans l'escalier montant au grenier.

Je lui ai demandé d'où il venait. Il m'a regardé d'un air insolent et a déboulé les marches quatre à quatre.

Cette nuit, je suis allé dans la chambre des garçons. J'ai embrassé Henri qui dormait à poings fermés. Je me suis approché de l'autre lit pour faire de même avec Hubert.

Le lit était vide...

Notes

La bête du Gévaudan :

Apparue au début de l'été 1764, dans une région désolée, entre La Margeride et les monts d'Aubrac, la Bête du Gévaudan sema la terreur dans les Cévennes pendant trois ans (juillet 1764 à juin 1767). La première victime fut une jeune fille des Ubas, paroisse de Saint-Étienne-de-Lugdarès. On la retrouva, le foie, les intestins et le cœur dévorés ainsi que toutes les parties charnues de son corps. En tout, le monstre dévora cent personnes dans les régions du Gévaudan, de l'Auvergne, du Rouergue et du Vivarais. S'attaquant surtout aux femmes et aux enfants qui s'aventuraient dans les bois, les prairies ou les chemins creux, la

Bête avait la taille d'une vache et sautait à la gorge de ses victimes pour ensuite les dévorer ou les décapiter. On s'interrogea longtemps sur la nature exacte de ce monstre. Selon les curés, il s'agissait d'un fléau envoyé par Dieu. Les paysans en firent un loup-garou. D'autres parlèrent d'un ours dressé, redevenu sauvage, d'un hybride de lion et de tigre ou d'un loup «encharné», autrement dit d'un loup ayant pris goût à la chair humaine après avoir dévoré des cadavres dans les charniers ou sur les champs de bataille. D'autres encore prétendirent que le coupable était un sadique, déguisé en loup, en rappelant que la Bête souvent marchait debout sur ses pattes de derrière, qu'elle épiait aux fenêtres les filles qui se dévêtaient et qu'on l'avait entendue jurer en s'enfuyant.

Toujours est-il que la créature devint si célèbre, que le roi de France envoya en Gévaudan quarante-sept dragons pour la capturer, offrant 10 000 livres pour sa peau. Néanmoins, celle-ci échappa aussi bien au major Duhamel qu'au plus célèbre louvetier du temps, le sieur Denneval qui avait plus de mille deux cents loups à son tableau de chasse. En septembre 1765, le grand louvetier du royaume, lieutenant des chasses royales et porte-arquebuse du roi, Antoine de Beauterne, prétendit en être venu à bout et exhiba à Versailles la dépouille d'un loup impressionnant, une bête énorme de 65 kg. Mais les agressions recommencèrent et ce fut finalement un certain Jean Chastel qui aurait triomphé du monstre dans la forêt de Tenazeyre (19 juin 1767) en utilisant un fusil bénit et trois balles fondues avec le métal d'une médaille dédiée à la Sainte Vierge. Afin de toucher la récompense, le valeureux chasseur tenta de ramener à la cour la dépouille embaumée de l'animal. Hélas, il perdit trop de temps à montrer celle-ci dans chaque village. Lorsqu'il la présenta au souverain, elle dégageait une telle odeur de pourriture que Louis XV ordonna qu'on l'enterre immédiatement.

Certains prétendirent qu'en fait la Bête était un meneur de loup, c'est-à-dire un fou sadique qui s'affublait d'une peau de loup pour attaquer les jeunes paysannes et les pastoureaux. On accusa même Chastel d'être le criminel recherché bien que les soupçons se portèrent surtout sur un mystérieux nobliau de la région, ancien favori du roi, et connu seulement par son surnom de « Messire ».

Le loup-garou:

Selon la légende, le loup-garou ou lycanthrope (homme-loup) ou bête galipote, appelé aussi versipelle dans l'Antiquité, était un homme changé en loup pour une période de neuf ans afin de payer son impiété en négligeant, notamment, d'avoir fait ses Pâques pendant plusieurs années. Actif surtout pendant le solstice d'hiver («le temps du loup») et les nuits de pleine lune, il était revêtu d'une peau de loup magique ou «périsse» dont il ne pouvait se débarrasser qu'au bout de sept ans. Selon la tradition, un loup-garou pouvait également avoir une apparence parfaitement normale, car il avait aussi le pouvoir de revirer sa peau à l'envers afin de dissimuler ses poils à l'intérieur de son corps.

Une fois tué, pour vérifier si on avait bien affaire à lui, il fallait donc l'écorcher ou plonger la main dans sa gueule, l'attraper par la queue et le retourner comme un gant. Il était très difficile, voire parfois impossible, de le tuer, car les balles ne pénétraient pas son cuir, à moins qu'on utilise des balles d'argent marquées d'une croix. Il existait également un autre moyen de s'en débarrasser sans le tuer. Il suffisait de l'attirer en jouant de la cornemuse, de la vielle ou du violon. Quand l'animal était sous le charme, on le «démorphosait» en lui traçant au couteau une croix de sang sur le front. À l'inverse, on trouve dans le folklore toutes sortes de recettes pour se changer volontairement en loup-garou et «courir la galipote». Il suffisait de se couvrir de graisse de chat mélangée à des graines d'anis ou simplement de boire de l'eau de pluie dans l'empreinte de patte encore fraîche laissée par un loup.

En France, de 1520 à 1630, trente mille loups-garous furent arrêtés, jugés, torturés et brûlés vifs après avoir été accusés de s'être accouplés avec des louves, d'avoir violé des femmes, enlevé des enfants, pratiqué le cannibalisme et décimé les troupeaux.

Sources :

Carbone, Geneviève, *La peur du loup*, Gallimard.

Chevalley, Abel, *La Bête du Gévaudan*, J'ai lu.

Michel, Louis, *La Bête du Gévaudan : l'innocence des loups*, Perrin.

TABLE DES MATIÈRES

Daniel Mativat

Daniel Mativat est professeur depuis trente ans. Il a écrit plus de vingt romans pour la jeunesse. Humour, fantastique, horreur, récits historiques, il a touché un peu à tous les genres littéraires, mais il a une prédilection pour les contes inspirés du folklore et les légendes médiévales. Après *Ni vous sans moi, ni moi sans vous...* et *Siegfried, ou L'or maudit des dieux,* il nous offre sa version personnelle de l'histoire de la bête du Gévaudan tout en nous transportant dans la solitude aride des gardiens de phare du Saint-Laurent. Un roman intense et cruel... du Mativat à son meilleur.

COLLECTION CHACAL